「ゆる副業」のはじめかた アフィリエイトブログ

スキマ時間で自分の「好き」を
お金に変える！

ヒトデ 著

はじめに

ブログという副業の素晴らしさ「ブログの素晴らしさを知ってほしい」

心からそう思っています。なぜなら、ほとんどの人がそのすごさを知らないからです。おそらく、今読んでくださっている方にも「ブログ？ 副業として微妙では……？」と思う人も多いでしょう。実際、僕自身もはじめる前は何の知識もありませんでした。

しかし、ブログこそが「最強の副業」だということがわかりました。

好きなときに、好きな場所で好きなジャンルで書くことができます。そんな副業なのに、**かかる費用は月1000円程度で、稼げる金額も青天井**です。しかも、**資産性のある「ストック型」の副業**です。これは、はじめのうちは収入が少ないけれど、実績が積み上がっていくと自分の作業時間は減るのに収入は増えていくということです。

はっきりいって、他にこんな副業はありません。

ブロガーに特別な才能やセンス、環境はいらない！

少しだけ自己紹介をさせてください。僕は1991年生まれの愛知県に住んでいるブロガーです。「ヒトデ」という名前で活動しています。もちろん本名ではなく、顔出しもしていません。

いわゆる社畜だった僕は、毎日の生活に閉塞感を抱いて、「辛いなぁ」と思いながらも会社員を続けていました。そんな息苦しい日常を変えてくれたのがブログの執筆でした。**会社員時代に趣味ではじめたブログが副業になり、いつの間にか本業の給料以上に稼げるようになり、現在はブロガーとして生計を立てています。** 2016年の9月にブログ月収100万円を達成。それから現在までの4年以上、ブログ月収が100万円を下回った月は一度もありません。

月に数万円でも収入が増えると、本当に日々の生活が変わります。 お金が原因での「我慢」が減りますし、何より心に余裕が生まれます。

ブログで生計を立てることができてからは、「教えて！」といわれることも増えました。全員に個別に教えることは難しいので、ブログやユーチューブで「ブログの始め方と稼ぎ方」を発信していたところ、本当に多くの方から、「実際にブログの収益を得られました！」という報告をいただきました。

もちろん、僕のように本業にせずとも、**「月に数万円レベル」であれば、特別な才能やセンス、環境は必要ありません。** コツコツと努力をしていけるのであれば、誰にでも到達できるものだと思っています。

ブログって大変じゃないの？

「ゆる副業」というタイトルから、「楽して」「すぐに」稼げると思った方がいたら申し訳ないのですが、そんなことはありません。

というか、ブログに限らず「スマホぽちぽちで月収50万円」「1日5分の作業で月収30万円！」などという広告も見かけますが、すべてほぼ嘘です。ほとんどが詐欺でしょう。

ブログはいわゆる「ストック型」の収入です。**「自分が働いていない間にもお金が稼げる」そんな夢のような状態をつくる**のですから、最初は労力や時間もかかります。今すぐお金がほしい！という方には向かない副業です。

逆にいうと、最初の苦労さえ乗り越えることができれば、その後はそこまで手間をかけることなく、誰にでも月数万円の「ストック型の収入」をつくることが可能です。

中には「数万文字書かなきゃ」、「情報収集だけで一日が終わっちゃう」、「毎日更新しなきゃ」といった誤った方向に時間をかけすぎて挫折してしまうブロガーさんもいます。

本書では、僕ヒトデの6年にわたる経験と知識を凝縮し、初心者でも間違った方向に

進まず、ブログを効率的に運営できる方法を紹介していきます。

本書で得られる副業のテクニック

ブログ運営の魅力、稼ぐための準備、ブログの立ち上げ方、実際のブログの書き方、アクセスアップの方法、収益を稼ぐ方法、SNSの攻略法などの正しいブログ運営に必要な情報をすべてお伝えします。

本書では、各節の内容を「基礎知識」「時短」「集客」「売上アップ」「センス不要」「モチベーションアップ」のアイコンで分類し、各節に掲載しているので、興味のあるジャンルから読むことができます。

また、節ごとに「ゆるポイント」という欄を設け、ゆるく副業をするための知識とテクニックのまとめを掲載しています。

もちろん最初から通して読んでいただいても構いませんし、**ゆるポイントやアイコンを見て、もしもすでに知っている節があれば読み飛ばして、深く知りたいと思う節から読んでも構いません。**

毎月数万円、何もせずに入ってくるような「ストック型の収入」をつくっていきましょう。

読者特典データのご案内

【本書限定！ セミナー動画のプレゼント】

本書の読者の方に向けて「今からヒトデがブログをはじめるなら、どんな戦略で行うか」というテーマでセミナー動画を撮影しました。

読者特典データは、以下のサイトからダウンロードして入手なさってください。

https://www.shoeisha.co.jp/book/present/9784798169958

※読者特典データをダウンロードする際には、アクセスキーの入力を求められます。アクセスキーは本書のいずれかの章扉のページに記載されています。Webサイトに表示される記載ページを参照してください。
※読者特典データのファイルは圧縮されています。ダウンロードしたファイルをダブルクリックすると、ファイルが解凍され、ご利用いただけるようになります。

●注意
※読者特典データのダウンロードには、SHOEISHA iD（翔泳社が運営する無料の会員制度）への会員登録が必要です。詳しくは、Webサイトをご覧ください。
※読者特典データに関する権利は著者および株式会社翔泳社が所有しています。許可なく配布したり、Webサイトに転載することはできません。
※読者特典データの提供は予告なく終了することがあります。あらかじめご了承ください。

●免責事項
※読者特典データの記載内容は、2021年7月現在の法令等に基づいています。
※読者特典データに記載されたURL等は予告なく変更される場合があります。
※読者特典データの提供にあたっては正確な記述につとめましたが、著者や出版社などのいずれも、その内容に対してなんらかの保証をするものではなく、内容やサンプルに基づくいかなる運用結果に関してもいっさいの責任を負いません。
※読者特典データに記載されている会社名、製品名はそれぞれ各社の商標および登録商標です。

目次

第3章 ブログを開設しよう

第4章 ブログを書いてみよう

第5章 ブログのアクセスを増やすにはどうすればいい？

第6章

収益を増やすにはどうすればいい？

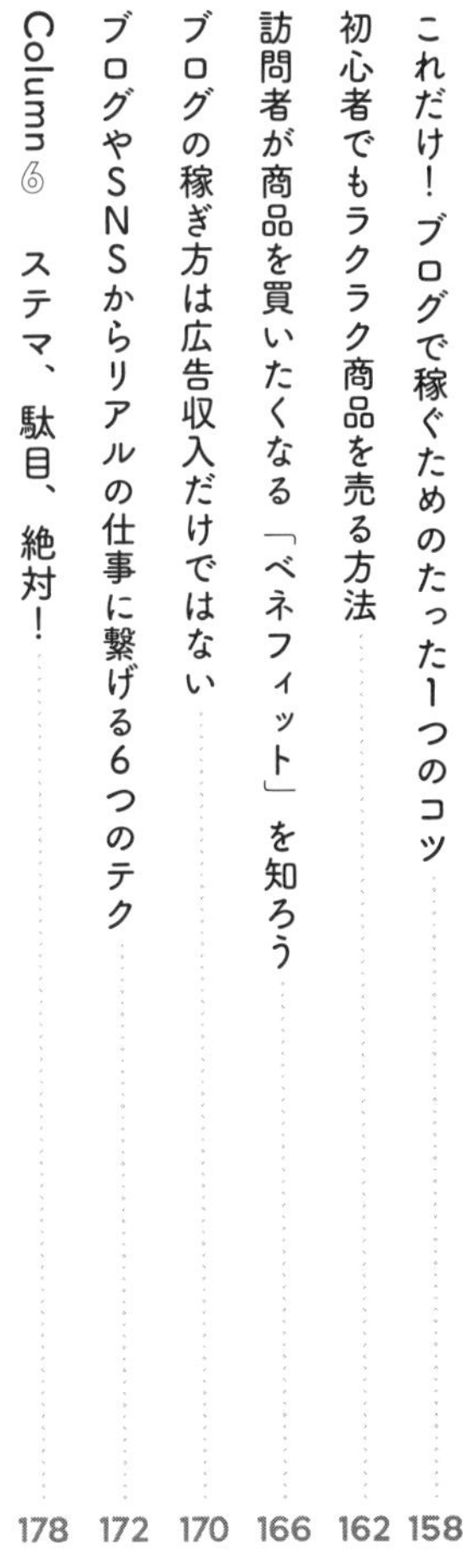

第7章

これからのブログ成功のカギを握るのはSNS

第8章

楽しく稼ぐための7つのルール

第1章

「ゆる副業」をはじめよう

アクセスキー 7（数字のなな）

1-1

基礎知識　センス不要

どうして今「ブログ」がおすすめなのか？

ゆるポイント1 ＞ とにかく低リスク

ゆるポイント2 ＞ 「好き」がお金になる

アルバイトや個人投資など、さまざまな副業があります。その中でも僕がおすすめしたいのは「ブログ」です。その理由は次の4つです。

①リスクが少ない
②稼げる金額は天井知らず
③全ての「浪費」が「投資」になる
④PCやインターネットに詳しくなる

リスクが少ないのに、稼げる金額は大きい

まずは①と②の部分。**ブログは副業の中でもかかるコストが圧倒的に少ない**です。仕入れや、大規模な設備は必

要ありません。ＰＣやスマホが1台あればはじめられるし、サーバー代としてかかる費用も月額１０００円以下です。それなのに、稼げる金額は天井知らずです。**ブログのみで月数百万円、下手すると数千万円稼いでいる人もいるほどです。**もちろん全員がそうなれるわけではありませんが、これは他のビジネスではなかなかありえないことです。

このメリットのすごさは他の副業と比べてみるとよくわかります。例えば、「せどり」をやろうと思ったら、商品を仕入れるためにまとまったお金が必要です。稼げる金額も、仕入れた商品によるので上限がすぐに見えてきます。

もちろんせどりにも「即金性がある」「再現性が高い」といったメリットはありますが、立ち上げにお金がかからないというのは「低リスクでお金を稼ぎたい」と思ったときに本当に有利なポイントです。

好きなことがお金になる

続いて③ですが、これは「好きなことがお金になる」ということです。例えば、旅行に関するブログを書いている場合、旅行をすればするほどブログの内容は充実していきます。**本来なら「浪費」で終わってしまうはずの行動でも、「ブログ記事」という資産になっていきます。**ＰＣが好きなら、ＰＣのことを学べば学ぶほどブログに詳しいことを書けるようになります。自分の勉強や趣味を兼ねながらやっていけると、一石二鳥です。

ＰＣやインターネットに詳しくなる

最後に④は、現代社会において、非常に大きなメリットです。ブログ運営をはじめると、本当にいろいろなことを調べることになります。わからないことだらけなので当たり前ですね。

でもそうしていく中で、ＰＣのこと、インターネットのことが徐々に身についていきます。今までは「よくわからない」と思っていたことが、どんどんわかるようになります。**いわゆる「ネットリテラシー」と呼ばれるものが身につくのです。**情報化社会といわれている現代、これらが身につくだけでも、本当に得をすることが多いです。「自分はＰＣが苦手だから……」と諦めず、逆に「これから詳しくなるチャンス」だと

図1-1　ブログのメリット

❶ リスクが少ない

❷ 稼げる上限金額が大きい

❸ 全ての「浪費」が「投資」になる

❹ PCやインターネットに詳しくなる

考えましょう。

　さらに、ブログを運営していく中で、ライティング、マーケティングなどの知識もついていきます。ブログで直接的に稼げなくても、これらの知識があるだけで、将来的に稼げる金額は増えていくでしょう。

　稼げる金額の上限が大きく、自分の好きなことがお金に繋がり、勉強にもなる。それなのに「リスク」がとにかく低い。このようにブログは非常におすすめできる副業です。

1-2

基礎知識

パソコンとネット環境があればOK

ゆるポイント1 高価な設備は必要なし

ゆるポイント2 スマホやタブレットでもはじめられる

ブログ運営に必要なものは、「①PC（またはスマホ、タブレット）」「②ネット環境」の2つだけです。

①に関しては、できればPCのほうがおすすめですが、スマホやタブレットで運営することも可能です。

PCといっても、ハイスペックである必要はありません。ネットサーフィンができるものであればOKです。

昔はPCも高価でしたが、今では5万円もだせばブログを書くのに十分なPCが手に入ります。実際に著者が月100万円以上稼いでいたときも、使っていたPCは4万円弱のものでした。

②についても、PCが自宅にある家庭であればすでにお持ちでしょうし、スマホやタブレットで運営するのであれば、すでに回線が繋がっているので問題ありません。特別に高速な回線である必要はないので、**工事などの必要がないポケットWi-Fiで何も問題ありません。**

スマホやタブレットでも運営できるの？

一般的に、ブログはPCで書く人が多いです。画面が大きく、細かい操作をしやすいからです。特にブログのカスタマイズをする際は、PCのほうが圧倒的にやりやすいでしょう。

しかし、最近は若い人を中心に、スマホやタブレットで運営している人も増えています。**「まずはじめてみる」という意味では、スマホやタブレットで挑戦してみるのもいいでしょう。**慣れてきて「これは続けられそうだ」と思えたときか、実際に利益がでたときに、効率アップのためにPCを購入しましょう。

1-3

基礎知識

初期運営コストも数百円から気軽にはじめられる

ゆるポイント1　ブログにかかるコストは月々数百円

ゆるポイント2　大きな初期投資も必要なし

ブログ運営にかかる費用は、月数百円です。

そもそもブログ運営にかかる費用は大きく2つしかありません。

①サーバー料金
②ドメイン料金

これら2つを契約して、ブログをはじめていくことになります（急に難しい片仮名がでてきた……と驚いたかもしれませんが、手順については後半でやさしく解説するので安心してください）。

①のサーバー料金は、数年前まで初期費用が数千円や、月額が1000円以上かかるものが多かったのですが、

現在は「初期費用0円」「月額料金も数百円」というサーバー会社が増えています。②のドメイン料金については年間で1000～2000円が相場なので、月100円程度。サーバー会社によってはサーバーとセットで無料になることもあります。

結論として、ブログ運営は初期費用なし。月々800～900円程度の費用ではじめることが可能です（ただし、月額料金は3か月分以上を前払いするのが一般的なので、そこはご注意ください）。

無料ブログサービスで稼ぐことはできないの？

Amebaブログやはてなブログなどの無料でブログをはじめられるサービスがありますが、「稼ぐ」という目的ではじめる場合にはこれらの**無料ブログサービスはおすすめできません。**収益化に制限がありますし、そもそも本腰を入れて収益化しようとすると有料プランに入る必要があることがほとんどだからです。それならば、はじめから自分のブログを持ったほうが無駄な手間がありません。

ただ、「趣味ではじめたい」「とりあえず練習してみたい」という場合には、まず無料ブログサービスからはじめてみてもいいと思います。

1-4

基礎知識

会社員や主婦がブログアフィリエイトで稼ぐ2大メリット

ゆるポイント1 時間や場所を拘束されない

ゆるポイント2 何もしなくてもお金が入ってくる状態をつくれる

会社員や主婦の方がブログアフィリエイトで稼ぐメリットをまず2つ紹介します。

①時間や場所に縛られない
②ストック型の収入になる

この2つは、特にブログアフィリエイトの大きな特徴といえるでしょう。

いつでもどこでも自由に副業

まず①時間や場所に縛られない。PCとネット環境さえあればどこでもアフィリエイトブログは可能です。**特定の場所にいる必要はないし、時間帯を気にする必要もありません。**

図1-4　会社員や主婦の方にオススメ

① 時間や場所に縛られない

自宅だけじゃなくて、カフェでも旅行しながらでも副業できるよ。だから、急な予定にも対応しやすい

② ストック型の収入になる

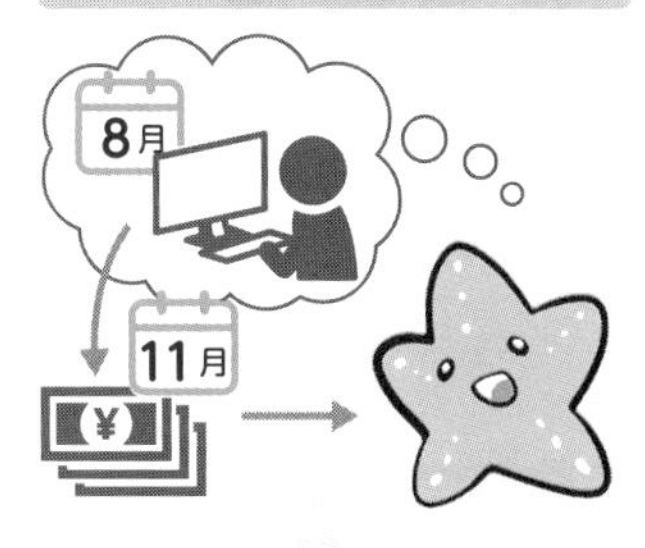

仕事が忙しい時期で、なかなか書けないときでも、前に書いた記事の収入が入ってくる

中には旅をしながら各地のカフェでブログを書いて生計を立てているブロガーもいるくらいです。

忙しい時期はほったらかしでも収入になる

続いて②ストック型の収入について。ブログはいわゆる「時給労働」とは違い、成果が積み上がっていき、それに応じた収入が得られるストック型の収入です。

さすがにメンテナンスは必要ですが、数か月単位で「何もしてないのにお金が入ってくる」という状態をつくることができます。

1-5

基礎知識

モチベーションアップ

ブログはお金以外にも得られるものがたくさんある

ゆるポイント1 収入の他、「新しい人間関係」も得られて一石二鳥！

ゆるポイント2 大人になってからも仲のいい友だちがつくれる

僕が本当にすごいと思うブログの特徴がもう1つあります。それは「新しい人間関係」を構築できることです。

あなたが「自分の好き」をブログで発信し続けたとします。すると、そこにはあなたと同じ「好き」を持った人たちが集まります。

学校や会社のように、ランダムで集まった関係ではなく、「自分と同じ『好き』を持っている人たち」との繋がり。それは、人生において本当にかけがえのないものになります。**僕自身、大人になってから本当に仲の良い友人がたくさんできましたし、今の妻ともブログをきっかけに出会っています。**

図1-5　お金以外に手に入るもの

記事を読んで共感してくれる人たち

自分と価値観や好きなものが同じ人たち

お金以外の出会いにも目を向けてみる

本書の読者のほとんどは「お金を稼ぐ1つの手段」としてブログを捉えていると思います。もちろんそれは間違いではないですし、非常に大きな魅力です（僕自身、ブログで稼いだお金で生活しています）。

しかし、せっかくブログをはじめるなら、**「自分の価値観と近い人と出会える」という可能性にも目を向けてください**。それは、お金以上にあなたの人生を好転させてくれるかもしれません。

Column 1

月1万円、どうやって達成した？

僕がはじめて月1万円を達成したのは、「アドセンス」＋「アマゾン・楽天での物販」の合計でした。比率は半々くらいで、毎日150円くらいのアドセンスと、ちまちま売れる商品で達成しました。具体的に売っていた商品を紹介すると、本や漫画がほとんどでした。ちなみに手探りでやって、ここまでに4か月ほどかかっています。

当時の僕が意識していたことは、とにかく本気でおすすめできるものを紹介することでした。なぜなら、商品を売るために記事を書いたりもしたのですが、それは全然売れなかったからです。というか1個も売れませんでした。自分でも驚きました。「もしかしたら誰か買ってくれるんじゃね？」と期待して書いた記事も、完全にゼロ。しかし、本気でおすすめできるアイテムを全力で紹介することで、少ないですが売れるものがでてきたんです。「本気さ」は、読者に伝わります。これは、今でも僕が大切にしていることです。

誤解しないでほしいのは、「だからアドセンスと本や漫画の販売をすればいいよ！」とすすめているわけではないということです。その理由については、次のコラムで紹介します。

第2章 アフィリエイトブログで稼ぐ前の準備

アクセスキー　I
（数字のいち）

2-1

基礎知識

センス不要

そもそもアフィリエイトブログってどう稼ぐの？

ゆるポイント1　広告をついでに見てもらうだけで収入になる

ゆるポイント2　芸能人のような知名度はいらない

「ブログで稼ぐ」を一言でいうと**「広告で稼ぐ」**ということになります。あなたのブログを読みにきた人に、ついでに広告を見てもらうことで、企業からお金をもらいます。電車の中吊り広告のようなものですね。

ブログに広告を張りたい会社なんてあるの？

広告を張りたい会社は、たくさんあります。広告収入が発生する仕組みは、ブログの読者の方が「商品を購入した」(もしくは「広告をクリックした」）ときに支払われるというものです。

つまり広告主からしたら、ほとんどデ

図2-1　アフィリエイトの仕組み

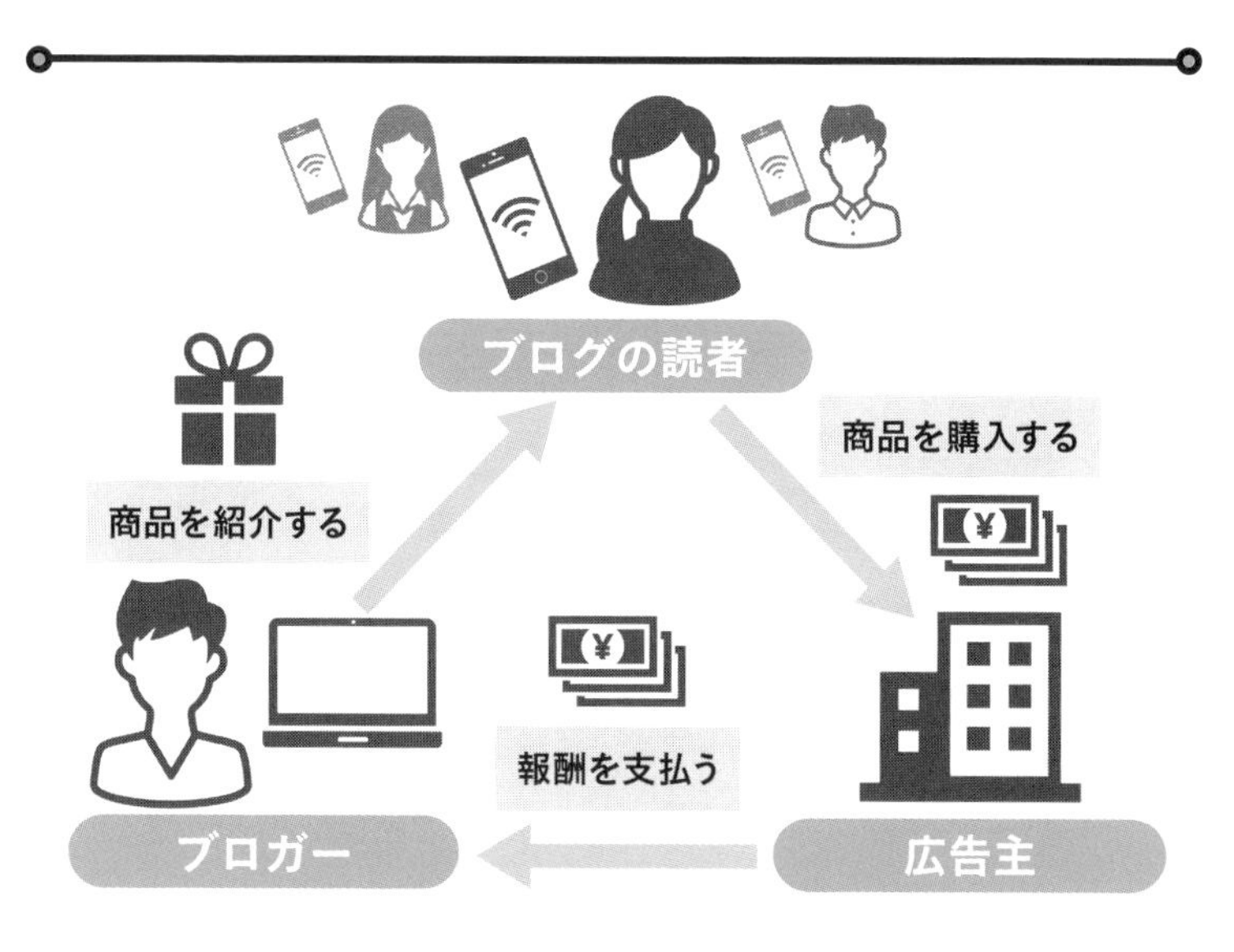

メリットがありません。「紹介したいならぜひ紹介して」といった状態です。
さらに、仲介業者が間に入ってくれるため、面倒な手間もありません。

一般人でも稼げるの？

有名でなければ稼げないと思う人も多いですが、芸能人のような知名度はいりません。「誰かの悩みを解決する」という視点でブログを書ければ、一般人でも稼ぐことは可能です。あなたは、今まで何かに困ってインターネットで検索したことはありませんか？　その助けになるページを、これからつくっていくのです。

基礎知識

アフィリエイトブログはどれくらいで稼げるの？

ゆるポイント1　一度稼げるようになると、後はラクになる

ゆるポイント2　不労所得に近い状態がつくれる

アフィリエイトブログは、はっきりいってすぐに稼げる副業ではありません。例えば「片手間にスマホで月50万円」みたいな副業からは最も遠い副業です。

月数万円稼ぐのに、半年ほどかかります。これだけ聞くと何でおすすめしているの？と思うかもしれませんが、ブログ収益の大きな特徴は「ストック型の収入」ということです。

時間はかかるが、継続した収益になる

完全な「不労所得」ではないのですが、記事の質と量が整うと少ない労力

図2-2　フロー収入とストック収入

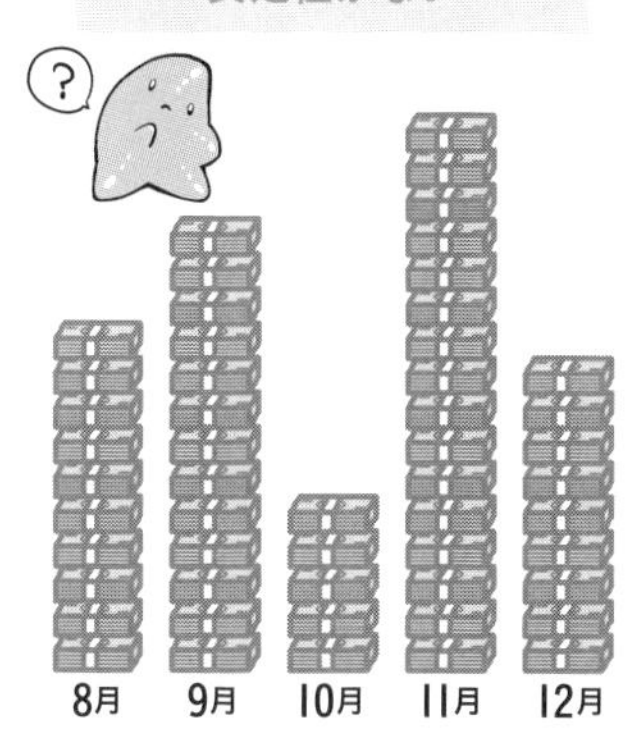

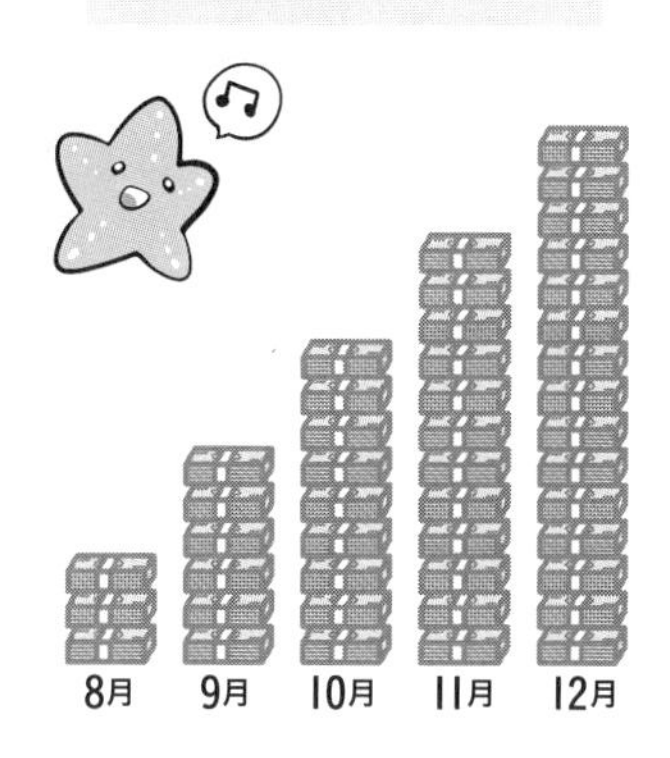

で大きな収益を生むことができます。**僕はかれこれ4年以上連続して、月100万円以上のブログ収益を得ていますが、2、3時間しかブログに触ってない月もあります。**

こういったストック型の収益を積み上げていくことで、「収益は上がっていき、作業時間は減っていく」という状態をつくることができます。

初期投資が小さく、資産が不要で、素人でもつくれるストック型の収入という意味で、アフィリエイトブログは非常におすすめです。もちろん本書では、なるべく無駄のない最適な方法を教えますのでご安心ください。

2-3

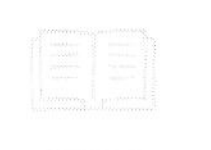

ブログと一緒に SNSもはじめよう！

ゆるポイント1　ファンができて ブログの安定感が増す

ゆるポイント2　早く収益化できる

実際のブログ開設については第3章で解説しますが、ブログ開設と同時にSNSをはじめることを強くおすすめします（SNSの詳細は第7章を参照）。その2つの理由を説明します。

①ブログの新しい流入元になり、ブログの安定感が増す

SNSは、読者があなたのブログへくるきっかけとなります。この数が増えていくと、本当の「安定」に繋がっていきます。

仮に検索から人がこなくても、「あなた自身」にファンがいる状態になるの

図2-3　SNSでブログの安定感が増す仕組み

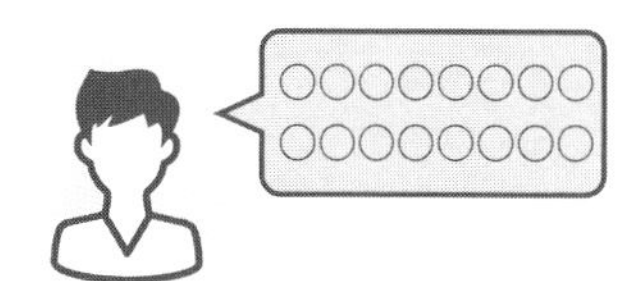

で、再スタートがしやすいです。また、ブログと関係ない新しいことをはじめる際にもSNSのフォロワーがいる状態は有利です。

②ブログの成果を早くだせる

検索流入はどうしても成果がでるまでに時間がかかってしまいます。今日書いた記事が検索で上位を取るのが3か月後、半年後ということはありえます。しかし、SNSで報告すればすぐにフォロワーが読みにきてくれるので、成果が早くでる可能性が高いです。

2-4

稼げるブロガーの目標設定

ゆるポイント1 最初の目標は小さくてOK

ゆるポイント2 「時間」を目標に設定してモチベーションアップ

ブログの目標というと、一般的に「半年以内に5万円稼ぐ！」「3か月後に1万PV！」といった目標を立てる人が多いですが、これは失敗しやすい例です。

もちろん大きな目標として決めるのはOKなのですが、それだけだと、目標を自分でコントロールできません。

例えば普通の時給労働の場合、「月に10万円稼ぎたい！⇓時給1000円だから、100時間働けばいいんだ！⇓月20日働きたいから、1日5時間頑張るぞ！」といった流れで道筋を決められます。

しかしブログは「これくらい働けば、

これくらいのお金がもらえる（これくらいのPVが集まる）」ということが非常にわかりにくいです。そして、こういった**「自分でコントロールできない目標」は、達成できなかったときにモチベーションがとても下がります。**そのままブログをやめてしまう人も中にはいると思います。

具体的にどんな目標がいいのか？

具体的におすすめなのが「ブログにかける時間」を目標にすることです。例えば「平日は1日3時間ブログに使う」などです。こうすれば、**自分で目標を適正値にコントロールして目標の達成に近づけていくことができる**からです。

超努力したのに「月5万円の収益」を達成できないことはありえますが、超努力したのに「1日3時間ブログを書く」ことが達成できないことはまずありえません。もちろんはじめのうちは、適正な時間がわからずに未達になるかもしれませんが、1か月も続ければ翌月には現実的な時間がわかるようになっていると思います。

もちろん従来通り収益やPVの目標を立てるのもOKです。ただし、それだけではなく、必ず一緒に「自分でコントロールできる目標」を立てるようにしましょう。

Column 2

月20万円達成。「単価」の重要性

第1章のコラムで、「アドセンス＋アマゾン・楽天の物販で稼ぐ」ことをおすすめしないという話をしました。正確には最初はそれでOKなのですが、10万円、20万円と稼いでいきたい場合は、考え方を変える必要があります。

なぜおすすめしないのかというと、僕自身がこのやり方をとったことで伸び悩むことになったからです。その理由は「単価」でした。本は1冊売っても数十円の収益にしかなりません。アドセンスも同様で、1クリック数十円です。本当に超頑張って、PVを集めて、たくさん売っても5万円が関の山。僕は当時ブログの稼ぎだけで生活したかったので、それだと全然足りません。そこではじめて、1件の紹介で5000円もらえる「Amazonプライム」の案件に手をだしました。その結果、あっさりと月20万円を達成。今までは月に100件売っても3000円程度だったのが、同じ100件で5万円ですから、単価は10倍以上違います。ですが、売る難易度は10倍にはなりません。

はじめはアドセンス＋アマゾンで「実際にブログで稼ぐ方法」を知るのはすごく重要なことです。**しかし、月10万円とか、20万円とか、もっと多くの金額を求める場合は、「商品の単価」を意識してみましょう。**

ブログを開設しよう

アクセスキー R（大文字のアール）

3-1

基礎知識

収益化するなら WordPressで開設しよう

ゆるポイント1　書いた記事が「資産」になる

ゆるポイント2　自由度の高いおしゃれなブログを簡単につくれる

実際にブログを開設する際、さまざまな選択肢があります。収益化の観点からは、Amebaブログのような無料サービスはおすすめしません。

無料のブログサービスをおすすめしない理由

僕が収益目的でブログをやりたい方に**無料のブログサービスをおすすめしない理由は、「記事が自分の資産にならないから」です。**無料のブログサービスを利用するということは、ブログ記事の命運を運営会社に握られてしまっている状態です。規約違反等があった場合、記事やブログを丸ごと非公開にされてしまうリスクがあります。

実は僕自身、一度運営していたブログを非公開にされてしまったことがあります。

当時ブログで月に50万円以上稼いでいたので、気が付いたときは顔面蒼白でした。「稼げるようになってきたし、もしかしたら会社を辞めても何とかなるかも?」と思っていた矢先の出来事です。

幸いそのまま削除とはならず、ブログサービスの方から「規約違反があったため非公開にした」との連絡がありました。当然平謝りをして、記事を修正したところ、何とか翌日には元に戻してもらえました。しかし、その間に自分のブログを読もうとしてアクセスしてくれた何万人もの人にブログは表示されず、もちろんその日の収益は0円。ショッキングな出来事でした(ちなみに、そのまま戻してもらえなかった、という方もいます。恐ろしい……)。

当然、規約違反をするほうが悪いですし、違反をしておいて「ブログを消された!」などと被害者ぶるのはおかしな話です。しかし、言い訳になってしまいますが、僕がその「非公開にされる原因となった記事」を書いたのは、実際に非公開にされる1年前でした。1年以上問題のなかった記事が、突然非公開の原因となった理由は謎ですが、これは結局自分のブログが運営会社の管理下にあるから起こってしまったことです。趣味や練習ならいいですが、本当の意味で「自分のブログ」を持って、ブログを資産にしていきたいのであれば、無料ブログはおすすめできません。

ブログをつくるなら「WordPress」がおすすめ

では、何でブログをつくればいいのかというと「WordPress」というCMS※で作成するのがおすすめです。

WordPressは世界で最も利用者の多いCMSです。そのため、**多くのテンプレートや拡張機能が提供されていて、思い通りのブログを非常につくりやすいです。**カスタマイズの知識がない人でも、「テーマ」を使えば、着せ替え機能のような形で見た目を整えることも可能です。

今この文章を読んで「んん？　何か横文字がいっぱいでよくわからないぞ!?」と焦った人もいると思いますが、大丈夫です。要するに、「今まではすごく大変で、専門的な知識が必要だったブログ作成を、インターネット上で簡単につくれるシステムがある！」という話です。

※CMS：コンテンツ・マネジメント・サービス。ウェブサイトのコンテンツをオンラインで保存・管理できるシステムのこと。

図3-1 WordPressとはてなブログ、どっちがいいの？

立ち上げは無料ブログと比べて少し手間ですが、一度立ち上げてしまえば、記事の更新などは簡単に行うことができます（しかも、手間といっても今はかなり簡単になったので、慣れれば15分程度でできてしまいます。はじめてでも、1時間もあれば可能です）。

僕自身、今は全てのブログをこのWordPressでつくっていますし、周りの稼いでいるブロガーもほぼ100％の人がWordPressで運営しています。そして、先輩ブロガーがつくっている「おしゃれなブログ」も、ほぼWordPressで運営されています。

はてなブログなどの無料ブログでもできる？

ゆるポイント1　無料ブログはとにかく簡単にはじめられる

ゆるポイント2　はてなブログなら無料でもデザインがいい

無料ブログではなく「WordPressを使おう！」という話をしましたが、無料ブログで運営できないわけではありません。先の例のように消されてしまうリスクや、デザインの幅の狭さなどに目をつぶれば、無料ブログで運営をしていくことは可能です。

無料ブログの一番の魅力は「手軽」であることです。**数回クリックすればブログができますし、面倒なことは何もありません。**「とりあえず、何か書いてみたい」「練習がてらスタートしてみたい」「趣味でブログを書きたい」という方にはおすすめできます。

無料ブログでも収益化をするのにはお金がかかるので要注意

無料ブログといっても、実は収益化を狙おうとすると、結局お金がかかることが多いので注意が必要です。なぜなら、すでにその会社の広告が、自分のブログに張ってあるからです。その広告を消して、自分が紹介したい広告に張り替えるためには、月額費用がかかることがほとんどです。**月額費用は1000円弱のことが多いですが、これはWordPressで運営する金額とほぼ同じです。**そうであれば、収益化目的でブログを行う人は、はじめから記事が資産になって自由度も高いWordPressではじめたほうが近道です。

おすすめの無料ブログサービス

とはいえ、「いきなり有料はちょっと……」という方も多いと思います。そんな方におすすめの無料ブログサービスを紹介します。**基本的に「note」または「はてなブログ」のどちらかを選んでおけば後悔することはありません。**それぞれ解説していきます。

まず、「note」は主にクリエイターの方向けのサービスです。記事作成の画面は非常にシンプル。良くいえば簡単で、悪くいえばカスタマイズの余地がほとんどありません。「もうデザインとかどうでもいいから、とにかく簡単に書きたい！」という場合はnoteをおすすめします。**noteの大きな特徴として、「投げ銭機能」があり、記事を読んだ方からおひねりをもらうことが可能です。**ただ、張れる広告にも制限があるので、広告で収益を得たい方にはあまり向いていません。

続いて「はてなブログ」です。**はてなブログは、無料ブログサービスの中では、最もカスタマイズ性が優れています。**WordPressほどではないですが、デザインも大きくいじることが可能です。前述した有料プランに加入すれば、広告なども自由に張ることができるため「まずは無料ではじめてみたい。後々は収益化もしたい」という方には最もおすすめの無料ブログです。

紹介したこの2つは、「収益目的でブログをやりたいけど、WordPressは難しそう……」という方にはピッタリの無料ブログサービスです。

図3-2　noteとはてなブログの比較

 特徴 	ブログよりも手軽にはじめられる。コンテンツ販売による収益化が向いている	noteよりも広告による収益化が向いている
収益性 	投げ銭機能（読者がお金を渡せる機能）があったり、有料記事やコンテンツの販売ができたり、広告以外の収益化する方法がある。ただし、Amazonのアフィリエイトのみ対応	記事と記事をリンクさせやすい（例えば漫画を3つ書いたら、それぞれの漫画へのリンクを張りやすい）
デザイン性 	デザインや文字の装飾は最小限	デザインのカスタマイズ性が高い
費用 	基本無料。 有料プランは月額500円	基本無料。 有料プランは月額600円～
URL 	https://note.com/signup	https://hatenablog.com/guide

3-3

30分で完了！WordPressの開設手順

ゆるポイント1 昔よりもラクラクできるサーバーがある！

ゆるポイント2 マネすればたった15分でできる

本項目では、WordPressブログの立ち上げ方について解説します。

全体像の説明ですので、「具体的に、どのページの、どこのボタンを押せばいいの⁉」という方は、「見て真似するだけで誰でもWordPress立ち上げができる」という記事と動画を用意してあるので、こちらを参照してください※。

本当は全て本書に記載したかったのですが、全てのページの画像を貼ると、それだけで本が終わってしまいますし、手順は変わることがあるので、皆さんが迷わずブログが開設できるようにネットでの案内にしました。**本書では、WordPressブログを立ち上げる際**

※https://hitodeblog.com/wordpress-start

に、**よく皆さんから質問されることを中心に説明します。**

WordPressでブログをはじめる全体像

まずは全体像について解説します。WordPressでブログをはじめる方法は、49ページの図のように大きく分けて3ステップです。それぞれ詳しく見ていきましょう。

①サーバーの契約

まずWordPressでブログ運営を行いたい場合、「レンタルサーバー」に申し込む必要があります。「サーバー？　何の話？」と混乱するかもしれませんが、簡単に説明すると「自分のブログを表示するために必要な場所を借りる」という工程になります。

サーバーにもいろいろな種類があるのですが「とにかくサーバー選びに失敗したくない！」という方には圧倒的に**「ConoHa WING」というサーバーがおすすめです。**スペックは高いのに料金は安く、何より初心者にやさしく設定が簡単なため、困ったらこのサーバーを使いましょう。実際の申し込み手順はブログ記事のほうを参考にしてください。

②「かんたんセットアップ」を行う

昔はサーバーを契約した後、面倒な作業がいろいろとあったのですが、最近はありがたいことに面倒な作業を省略できるようになりました。多くのサーバー会社が、簡単にWordPressの立ち上げが可能な機能をつけています。今回ご紹介した「ConoHa WING」にも「WordPressかんたんセットアップ」という機能がついているので、それを利用します。**必要項目を入力して、ボタンを押すだけでできてしまいます。**

まずは必要項目の1つである「ドメイン」というものを決める必要があります。聞いたことのない言葉でも大丈夫です。

ドメインとは、簡単にいうと「インターネット上の住所」のようなものです。ここで住所となる、ブログのURLを決めます。例えば僕が運営しているのは「https://hitodeblog.com/」ですが、この「hitodeblog.com」の部分がドメインです。

まずは「hitodeblog」の部分を決めていきます。

ドメインは後から変更ができないのでご注意ください。また、早い者勝ちなので、すでに使われているドメインを利用することはできません。例えば先ほどの

図3-3-1　WordPressの開設は3ステップ

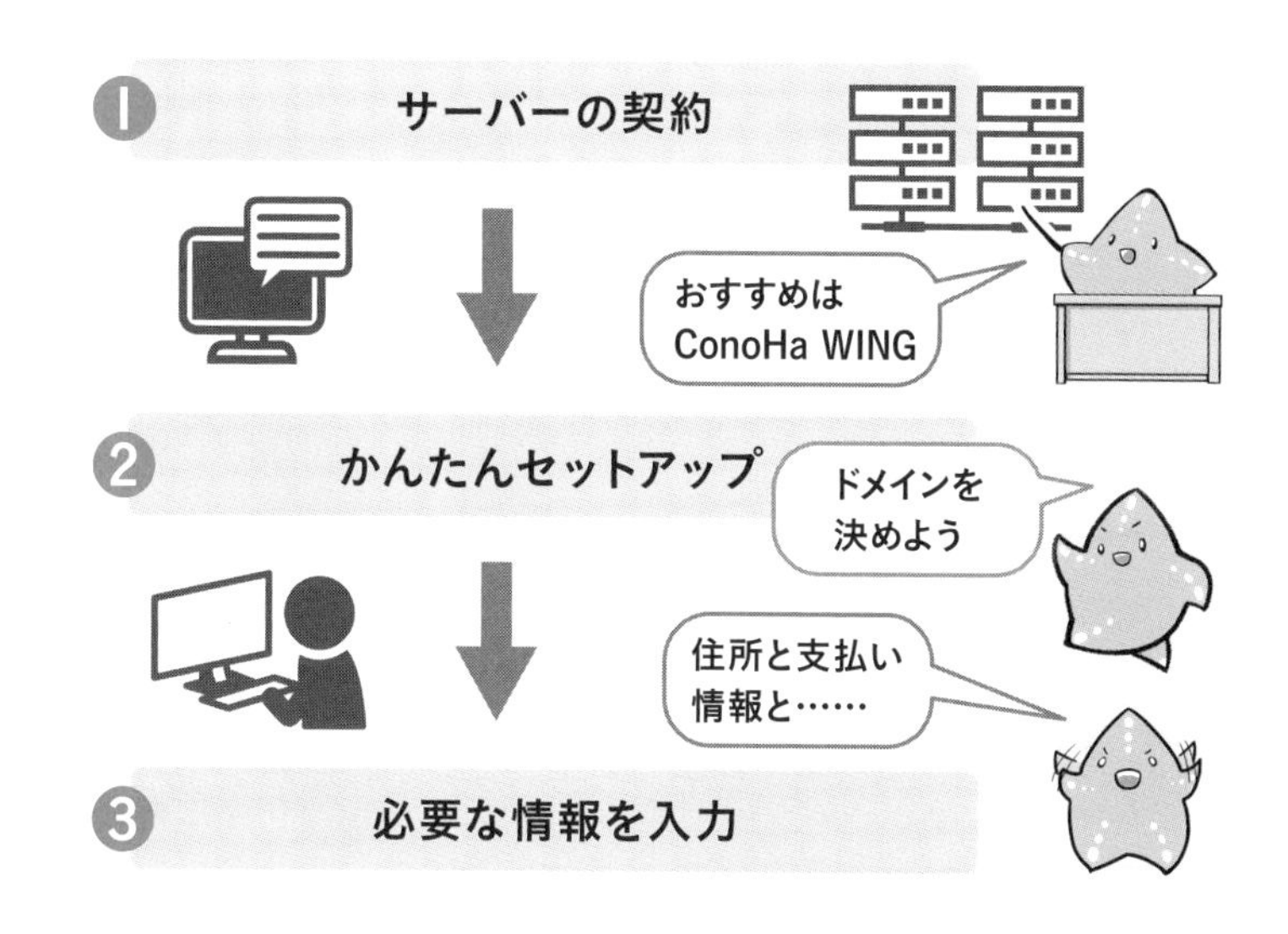

「hitodeblog.com」は、僕がすでに使っているので使えない、ということになります。

続いて隣の「.com」と書いてある部分を決めます。先ほどの例だと「hitodeblog.com」の「.com」の部分です。この部分を「トップレベルドメイン」といいますが、名称は特に覚えなくてOKです。

「.com」「.net」「.jp」など、いろいろな種類があるので、どれを選ぶか悩むところですが、正直どれでもOKです。どれを選んでもブログ運営に支障はありません。一応「.com」が最もメジャーで、僕もほとんどのブログを「.com」で取っています。**もし迷ってしまったら、とりあえず「.com」にしておけばOKです。**

③必要な情報を入力

ここまできたら、後は住所や支払い方法などの情報を入力していくだけです。何と、これでもうWordPressブログは完成です。PC操作に慣れた人なら15分、遅くても1時間もあればできてしまいます。数年前は何時間もかかっていたブログの立ち上げが、「かんたんセットアップ」のおかげで非常にラクになりました。

図3-3-2　ドメインとは？

ドメイン名の注意点

ただし、基本的にドメイン名で差がつくことはないよ

- ・日本語よりも、英語（ローマ字）を推奨
  ✕ ヒトデ　◯ hitode
- ・パッと見でわかりやすく、覚えやすいものが理想
  ✕ hia-tao-adea　◯ hitode
- ・ジャンル名やサイト名を入れるとわかりやすい
  ✕ oBChStpRPzgl　◯ hitodeblog

具体的なWordPressの開設手順はこちら

https://hitodeblog.com/wordpress-start#wordpress-start-01

URLやQRコードでアクセス、または「hitodeblog　ワードプレス」で検索！

3-4

時短

テーマでデザインを簡単に整えよう

ゆるポイント1 テーマを使えばデザインは簡単に整う

ゆるポイント2 迷う人はCocoonのテーマを使おう

WordPressでデザインを整えるためには**「テーマ」というものを利用することをおすすめします。「テーマ」とは、サイト全体のテンプレートのこと**で、これを反映させることで、複雑な処理を行うことなく、ブログのデザイン、構成、機能などを変更することが可能です。

無料テーマと有料テーマ

テーマには、無料のものと有料のものがあります。最近は無料テーマでも良いものが多いので、まず無料テーマで試してみるのもありだと思います。

個人的におすすめしている無料テー

マは「Cocoon」というテーマで、正直無料テーマならこれ一択です。多機能で利用者も多く、デザインのテンプレートも豊富です。まずはCocoonを試して、不満なポイントがあれば有料テーマという流れで十分でしょう。

逆に適当な無料テーマを使うことはおすすめしません。海外製の「何となくおしゃれなテーマ」が多数あるのですが、仕様にクセがあったり、そもそも情報が少なくてどうしたらいいのかわからなくなったりと、初心者にはハードルが高いからです。**初心者の方は、無料でも有料でも、必ず利用者が多いテーマを選ぶようにしてください。**

おすすめの有料テーマ

有料テーマは次々新しいものがでてくるので僕はたまに変更をしますが、現在の僕は「JIN」というテーマを最も愛用しています。JINは利用者が多く、質問フォーラムもあるので初心者に易しいテーマです。特に僕が気に入っているのはデザインの部分で、複数のおしゃれなテンプレートがあるため、センスが全くない人でも簡単につくることが可能です。もし興味があれば、サンプルページを見てみてください。

3-5

基礎知識

細かい設定をさっと済ませよう

ゆるポイント1 はじめに設定しておくと吉

ゆるポイント2 後から運営がラクになる！

WordPressを立ち上げたら、まずやるべき設定がいくつかあります。とはいえ、どれもそれほど多くの時間はかからないので、はじめのうちにさっと済ませてしまいましょう。やるべきことは大きく4つです。

- **パーマリンクの設定**
- **デザインを整える**
- **アクセス解析サイトの設定**
- **プラグインを整える**

パーマリンクの設定

パーマリンクとは記事のURLのことを指します。**この設定は途中で変更するとアクセス数が落ちるなどデメ**

リットが多いので、必ずはじめにやっておきましょう。

WordPressにログインし、左メニューの「設定」→「パーマリンク設定」を開きます。「パーマリンク設定」の画面に移動するので「共通設定」の部分から「投稿名」を選択します。下のカスタム構造の部分に「/%postname%/」と勝手に入ればＯＫです。忘れずにその下にある「変更を保存」をクリックすれば、パーマリンクの設定は完了です。

後は記事作成画面で、右側メニュー内のパーマリンク「ＵＲＬスラッグ」を編集すれば、好きなＵＲＬに変更できるようになります。ＵＲＬスラッグとは、例えば「https://hitodeblog.com/wordpress-start」の場合「wordpress-start」の部分が該当します。「https://hitodeblog.com」までは自分のドメインで、全ての記事に共通していて、その先の記事ごとのＵＲＬが、ＵＲＬスラッグというイメージです。

デザインを整える

前節で解説した「テーマ」を導入し、そのテンプレートを利用することをおすすめします。

アクセス解析サイトの設定

「Googleアナリティクス」「Google Search Console」の2つのサイトに登録し、自分のブログと紐づけることをおすすめします。これらのサイトは次のようなデータを計測してくれるツールで、とても便利です。

- **ブログにどれくらい人がきたか**
- **どんな属性の人がきたか**
- **どんなキーワードできたか**

設定が少しだけ面倒ですが、稼ぐためにこれらのデータはお宝です。無料で使えますので、長期的に運営していくのであれば、とりあえず設定しておきましょう。

プラグインを整える

プラグインは、簡単にいうと「拡張機能」のことで、難しいことをしなくても、入れるだけでさまざまな機能が使えるようになります。便利だからといって入れすぎると重くなってしまうのでご注意ください。詳しくは次の節で解説します。

図3-5　パーマリンク設定から記事のURL設定までの手順

WordPressにログインして「パーマリンク設定」画面を開く

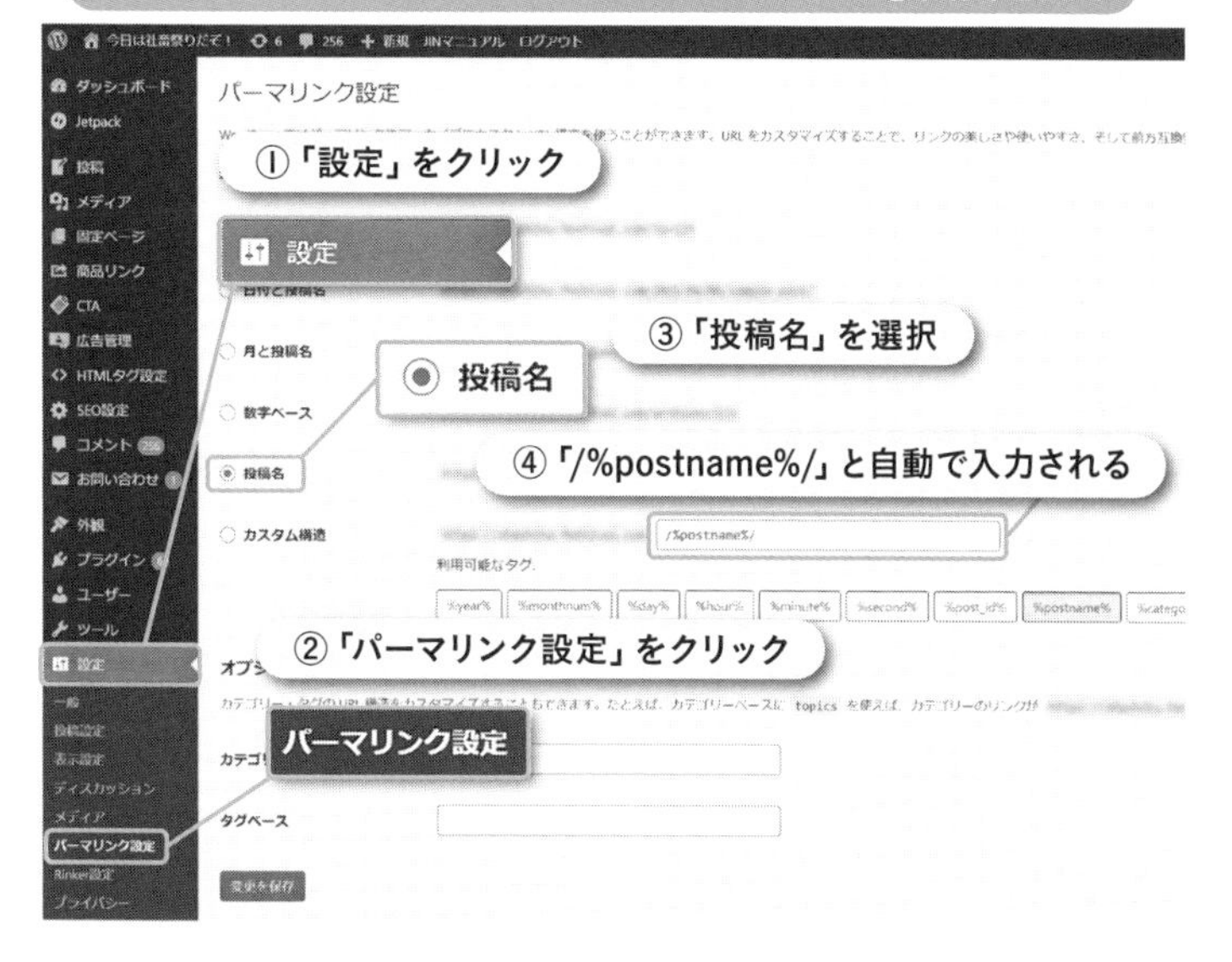

パーマリンク設定後、記事作成画面で好きなURLを設定する

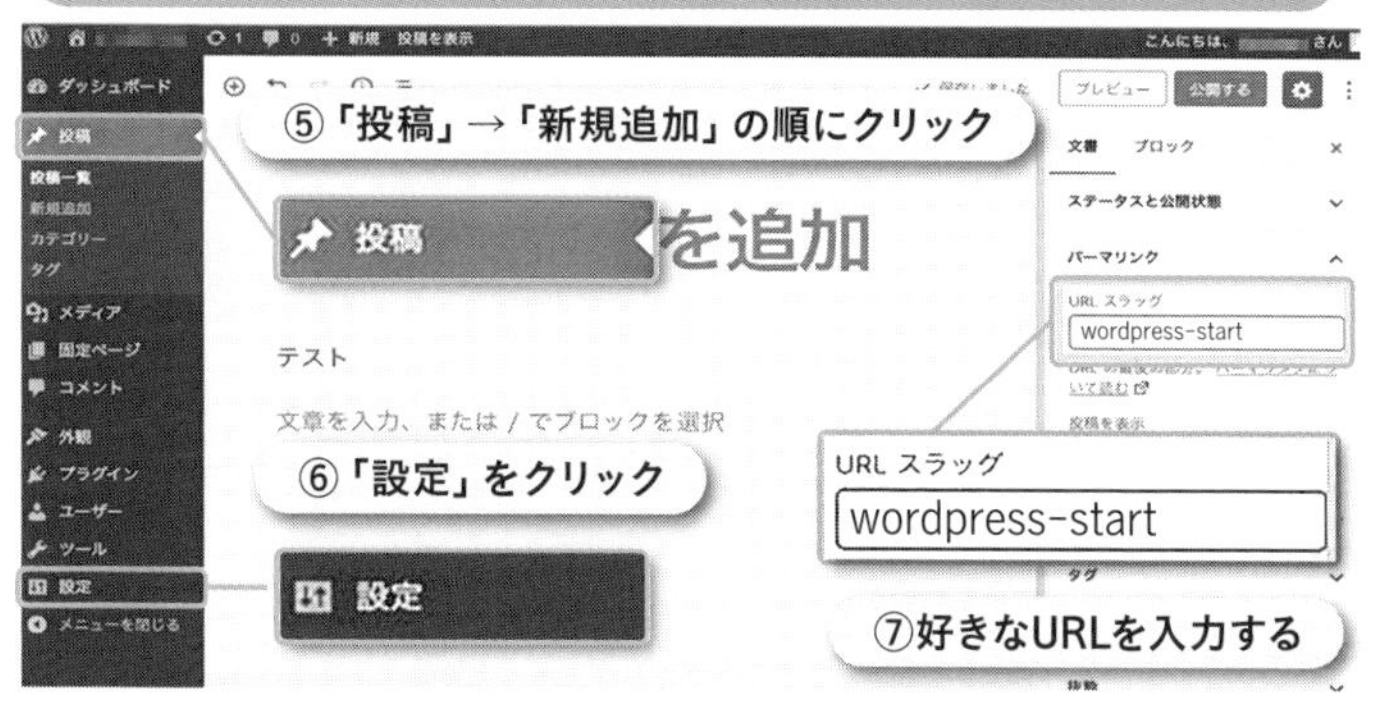

3-6

ブログ運営を便利にするプラグイン

ゆるポイント1　便利な機能を簡単に追加できる

ゆるポイント2　作業時間を1/6程度に短縮できるケースもある

プラグインとは？

WordPress最大の特徴の1つに「プラグイン」があります。**標準のWordPressにはない機能が「プラグイン」という形で配布されています。** それらをインストールすると、自分のサイトにさまざまな機能を追加できます。

例えば、「吹き出し機能」「お問い合わせフォーム」「目次」などは簡単に、それもおしゃれなものをつくることが可能です（ただし、テーマ自体に同じ機能がついていることもあります）。

非常に便利なプラグインですが、あまり入れすぎるとブログが重くなって

図3-6-1　3つの基本プラグイン

プラグイン	概要
Google XML Sitemaps	新規記事の投稿や、リライトした記事の更新などをGoogleに伝えてくれる。もちろんこのプラグインを使わないと反映されないことはないが、しておいたほうが確実
Akismet Anti-Spam	スパム対策のプラグイン。はじめから入っていることが多い。うっとうしいスパムコメントも、このプラグインでほぼ全部無効化できる
SiteGuard WP Plugin	WordPressのセキュリティを強化してくれるプラグイン。WordPressは無料ブログと違って自分のブログを自分で守る必要があるので、セキュリティプラグインは必須。紹介したConoHa WINGではじめた人はデフォルトで入っているので、必ず設定しておこう

しまうのでご注意ください。

おすすめのプラグイン

まず最低限必要な3つのプラグインを紹介します。

- ブログを検索エンジンにアピールするために「サイトマップの登録」で必要な「Google XML Sitemaps」
- スパム対策のプラグイン「Akismet Anti-Spam」
- WordPressのセキュリティを強化してくれるプラグイン「SiteGuard WP Plugin」

続いて、必須ではありませんが、あると便利なプラグインを紹介します。

- Amazonや楽天などの商品を見やすく表示してくれるプラグイン「Rinker」
- 画像を圧縮するプラグイン「EWWW Image Optimizer」
- 「お問い合わせ」を設置する「Contact Form 7」

プラグインのインストール方法

WordPressの場合、プラグインのインストール方法はとても簡単です。ログインしたら、「プラグイン」→「新規追加」とクリックします。右上の検索窓からインストールしたいプラグイン名で検索し、目当てのプラグインが表示されたら「今すぐインストール」ボタンをクリックします。インストール後、WordPressの「プラグイン」の画面にインストールしたプラグインと「有効化」ボタンが表示されます。そのボタンをクリックすれば、インストールは完了です。ただし、RinkerはWordPressの検索結果にでないので、ホームページからインストール後、WordPressの画面で「プラグインのアップロード」を行って有効化してください。

ちなみに、Rinkerを入れると、僕の場合は1つのリンクに30秒〜1分かかっていたのが、5秒くらいになりました。

図3-6-2　あると便利な3つのプラグイン

プラグイン	概要
Rinker 	Amazonや楽天の商品ページを見やすくするだけでなく、リンクを張るのも非常にラクになる。物販をやる人なら入れておいて損はない
EWWW Image Optimizer 	ブログが重くなる一番の原因は画像。その画像を、入れるだけで圧縮してくれる。すでに入っている画像を圧縮することもできる
Contact Form 7 	超重要な「お問い合わせ」を設置できるプラグイン。置くだけで、企業から「商品紹介の連絡」「純広告の相談」「さまざまなオファー」が届く可能性が上がるので、必ず設置しておこう

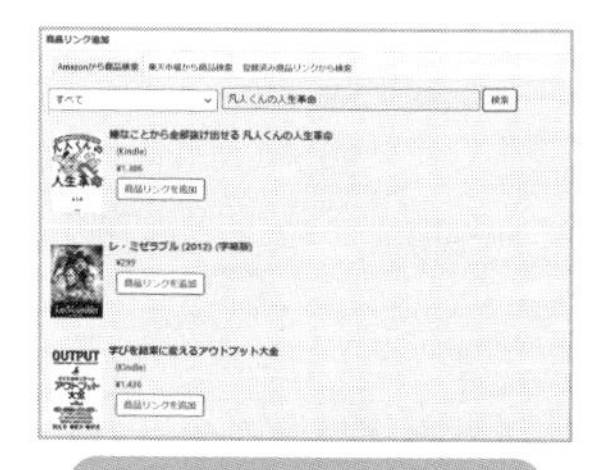

Rinker でのリンク張り

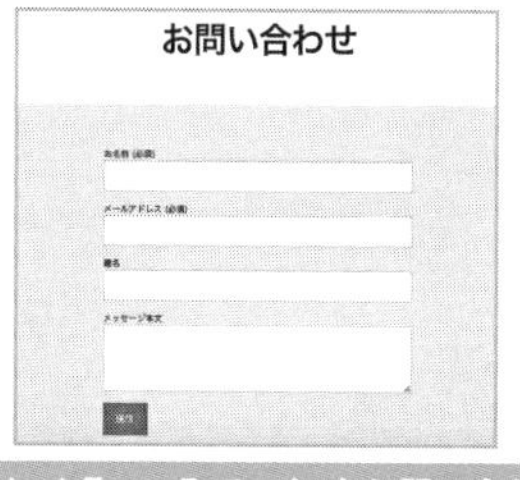

Contact Form 7 でつくったお問い合わせ

ファイル	投稿者	アップロード先		日付	画像最適化
やる気に燃えている01_01 bbd2a7f66a8c3e5faf407dcdfc1e14da.png	☆ーヒトデ	自動下書き 切り離す	—	6秒前	4サイズ圧縮しました (+) 14.8% (16.9 KB) を減少 再最適化 | PNG を JPG
テンション上がってきた！04_02 2b4e17aa3ba960c2b198156469eed018.png	☆ーヒトデ	自動下書き 切り離す	—	43秒前	4サイズ圧縮します 画像サイズ: 29.9 KB 今すぐ最適化！ | PNG を JPG
テンション上がってきた！03_01 d7e7a0e0b413bccc38a55c25afca26e1.png	☆ーヒトデ	自動下書き 切り離す	—	45秒前	4サイズ圧縮します 画像サイズ: 26.7 KB 今すぐ最適化！ | PNG を JPG
テンション上がってきた！02_02 0bb81651f4afc19b7770c1496eeccb5f.png	☆ーヒトデ	自動下書き 切り離す	—	47秒前	4サイズ圧縮します 画像サイズ: 15.7 KB 今すぐ最適化！ | PNG を JPG
テンション上がってきた！01_01 51a30e7f3fe5d882fae78ba20c7ea737.png	☆ーヒトデ	自動下書き 切り離す	—	49秒前	4サイズ圧縮します 画像サイズ: 27.5 KB 今すぐ最適化！ | PNG を JPG
えぇ……とドン引きしている状態03_01 715b7f632ab8b51091b484ea570ed2b6.png	☆ーヒトデ	自動下書き 切り離す	—	50秒前	4サイズ圧縮します 画像サイズ: 14.9 KB 今すぐ最適化！ | PNG を JPG

EWWW Image Optimizer での画像圧縮

3-7

ブログを簡単に「それっぽい」デザインにする方法

ゆるポイント1 5つの要素でブログはそれっぽくなる

ゆるポイント2 ボタン1つでデザインが整う

ブログは次の5つをWordPressで整えればそれっぽいデザインできれいに見えます。

- **テンプレート（スキン）を反映する**
- **ヘッダー画像（またはロゴ画像）を入れる**
- **サイドバーを調整する**
- **グローバルメニューをつくる**
- **ピックアップコンテンツ（おすすめメニュー）をつくる**

テンプレート（スキン）を反映する

まずは、テーマについているテンプレート（スキン）を反映させましょう。

この本で紹介した「JIN」「Cocoon」にはそれぞれテンプレートが付属しています。**ボタン一つで、デモサイトと同じデザインにできるため、まずは好きなデザインを選んで反映させてみましょう。** デモサイトは、色のバランスなどをしっかり考えてくれているので、デザインセンスのない人でも、ある程度しっかりとしたものになります。

ヘッダー画像（またはロゴ画像）を入れる

ブログの顔ともいえる「ヘッダー画像」「ロゴ画像」を入れます。これが入ると、一気にブログが「それっぽく」なります。肝心の画像ですが、フリー素材サイト（97ページ参照）から引っ張ってきてもいいですし、自分でロゴ画像メーカーや、Canvaのようなフリーソフトを使って作成してもOKです。もしもこだわりたい場合はココナラ（96ページ参照）などで、得意な方に依頼してもいいですね。

サイドバーを調整する

続いて、サイドバーを調整します。**一番重要な点は「メタ情報」を削除することです。** ログインページの情報などが記載されているため、デザインというよりは、セキュリティ的にないほうがいいです。

グローバルメニューをつくる

グローバルメニューを作成すると、非常にそれっぽくなります。作成手順は「ダッシュボード」↓「外観」↓「メニュー」から作成できます。ジャンルを入れることが多いです。

ピックアップコンテンツ（おすすめメニュー）をつくる

ピックアップコンテンツが入ると、さらにそれっぽくなります。こちらも「ダッシュボード」↓「外観」↓「メニュー」から作成したのち、Cocoonの場合は「おすすめカードの表示」、JINの場合は「トップページのピックアップコンテンツ」にチェックを入れます。

実際の作成手順は、本書で紹介した「JIN」「Cocoon」についての動画※があるので参考にしてください。

※https://www.youtube.com/watch?v=4T1d2VkbGM0

図3-7　デザインをそれっぽくする5つの要素

Column 3

ブログ初心者を狙う詐欺に注意

ブログを開始した際に特に注意してほしいのが「詐欺にあわない」ことです。世の中には悪い人がいて、ブログをはじめたばかりの人に「ブログ教えますよ」と近づいてきて、最終的に数十万円の超高額な教材やコンサルを売りつける人たちがいます。**特にSNSでそのようなことをいわれたら注意が必要です。**

だって、仮にあなたがブログで稼げている人だったとして、素性も知らない見知らぬ人にいきなり「ブログ、教えますよ！」と声をかけますか？ 普通、そんなことはしないですよね。僕だって絶対にしません。そんなことをしても、何も得しませんから。逆にいうと、それをやっている人は「(高額商材を売りつけることで)得をするから」やっているわけです(ちなみに本人ではなくブログの師匠を紹介してくるパターンもあります)。

もしかしたら超善人で、ただ初心者の人を救いたい一心で活動をしている人もいるかもしれませんが、99.999%の人はそうではないと思ってください。

ブログは、初期費用や運営費用がかからないことが大きな強みです。**高額商材や高額のコンサルを導入した時点で、ブログの強みがいきなり消えます。**すべてが詐欺とまではいいませんが、見極められないうちは、絶対に手をださないように注意してください。

ブログを書いてみよう

アクセスキー	I （数字のいち）

4-1

売上アップ

「雑記ブログ」と「特化ブログ」どっちがいいの？

ゆるポイント1　収益目的なら迷わず特化ブログからスタート

ゆるポイント2　特化できることがなければ、練習がてら雑記もOK

初心者の方から、複数のジャンルを扱う「雑記ブログ」と1つのジャンルだけ扱う「特化ブログ」どっちがいいの？とよく質問をいただきます。

どちらにもメリット・デメリットがあります。ただ、**僕が今から「稼ぐ」という点に重きを置いてブログをはじめるなら間違いなく「特化ブログ」からはじめます。**

収益目的だと特化ブログがいい理由

特化ブログが収益面で有利な理由は、「**1つのジャンルを掘り下げるので、熱量の高い読者を集めやすい**」からです。

例えばあなたが若い女性向けの化粧品会社の人だったとして、「毎月10万人の老若男女がくる雑記ブログ」と「毎月2万人の化粧品好きな20〜40代の女性が主にくる化粧品特化ブログ」だったらどちらに広告をだしたいですか？　おそらくほとんどの人は後者だと思います。アクセス数が5倍違っても、ターゲットと違う男性や年配の方に広告をだしても仕方がないからです。

また、読者の視点で考えても化粧品について知りたいなら、中身の記事次第ではありますが、やはり特化しているブログのほうが信頼できますよね。

このことはリアルなお店で考えるとわかりやすいでしょう。「うちは焼肉もラーメンも中華料理もケーキもだすよ！」という店と「うちは中華料理専門店だよ！」という店があったとして、自分が「中華を食べたい」と思ったときにどちらを選びますか？

やはり中華に特化しているほうが、中華を食べたい人を多く集められます。

このようにターゲットを絞るために、**好きなことや得意なことがある人はそのジャンルで特化ブログをはじめましょう。**

雑記ブログは良くないの？

だからといって雑記が完全にダメなわけではありません。**雑記ブログが向いているのは自分に好きなことや得意なことがない人です。**正直、そういう人のほうが多いです。

ただし、雑記ブログを延々と続けるのではなく、「いつか書く特化ブログのジャンルを見つける」という目的で書いていくことをおすすめします。興味のあるジャンルを4つまでに絞って、練習がてらさまざまな記事を書いてみてください。その中で次のように思えるジャンルを探しながら運営しましょう。

- **このジャンルは書いていて楽しい！**
- **このジャンルは読者からの反響が大きい**
- **このジャンルなら続けられるかも！**

これらに注意しながら読者の反応を見つつ、徐々に特化していけばOKです。「特化するジャンルが見つからない……」といいながら、いつまでもスタートできない人と比べて、圧倒的に早く成長できます。

図4-1　雑記ブログと特化ブログのメリットとデメリット

雑記ブログ	特化ブログ
●メリット ・何でも書ける ・トレンドに乗りやすい	●メリット ・読者が集まりやすい ・リピーターが増えやすい ・収益化しやすい
▲デメリット ▲SEO的に成長が遅い ▲特化と比べて収益化が厳しめ	▲デメリット ▲特化テーマに精通している必要がある ▲ネタ切れやマンネリ化しやすい ▲トレンドに乗りづらい

2つ目を特化ブログにするのもあり

雑記ブログで自分の得意ジャンルが見えてきたら特化ブログを新たにスタートするのもおすすめです。

- **すでに記事の書き方や操作方法等がわかった状態ではじめられる**
- **雑記ブログで書いた該当ジャンルの記事をそのまま使える**
- **読者がいる状態からはじめられる**

このように、いわゆる「強い状態を引き継いでニューゲーム」ができます。**このパターンで上手くいっている人はとても多いです。**

4-2

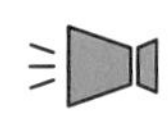

失敗しない ブログ名の決め方

ゆるポイント1 自分のテンションが上がるかで決めてもOK

ゆるポイント2 被らなければ大丈夫

ブログをはじめるときに「ブログ名」で悩む人は多いと思います。しかしブログ名については、正直そこまで重要ではなく、ブログ名を失敗したからといって、ブログ運営にそこまで支障はでません。

とはいえ、「できればこうしたほうがいいよね」というポイントもいくつかあるので、その部分を解説していきます。

ブログタイトルのポイントは2つ

ブログ名のポイントは2つです。

①覚えやすいか

②タイトルで中身の想像がつくか

ブログ名がブログ運営の成功に関わるとすれば、1つ目の「覚えやすいか」という部分だけです。わかりやすい名前で、読者に覚えてもらえれば、話題に上がりやすく、ブログ名で検索してもらえる確率が上がります。そう考えると、できれば日本語、それも読み間違えることのない平仮名や片仮名のものが望ましいです。英語名のサイトはスタイリッシュでカッコいいですが、「覚えやすさ」という点ではイマイチです。

2つめの「タイトルで中身の想像が何となくつくか」ですが、これも1つ目と同じ理由です。例えば美容に関するサイトなら、「美容研究所」のようにサイト名に「美容」に関する言葉が入っていると、読者もブログ名を覚えて検索しやすいですよね。このように**読者に内容を連想してもらうためにも、自分の特化するジャンルに関するワードは盛り込むといい**でしょう。

また、ブログ名の決め方には1つだけ注意点があります。それは必ず**「同じ名前のブログ」がないか、実際に検索してチェックをしておく**ことです。パクりだと思われても嫌ですし、大体の場合、同じ名前なら後からはじめたほうが不利です。必ず一度確認しておきましょう。

4-3

「実名」と「匿名」どっちでやるべき？

ゆるポイント1 匿名でも特に問題なし

ゆるポイント2 決め手はメディア進出を狙うかどうか

続いてブログをはじめる方の多くが気にするのが「匿名」と「実名」どっちがいいの？　というものです。

結論からいうと、本当にどちらでも大丈夫です。

記事や発信内容のほうが100倍大切で、**どちらかを選んだらすごく得する（損する）ということはありません**。たまに「顔をだしていないのは信頼できない」という人もいますが、世の中の詐欺師はほぼ顔出し実名（っぽい名前）です。本名である保証もなければ確かめる方法もありません。たとえ印象に差があるとしても、それも微々たる差だと僕は思っています。

実名・顔出しでブログをするメリットと匿名のデメリット

ブログで顔出しをする一番のメリットは「メディア進出がしやすい」点です。特にテレビや新聞といったお堅いメディアの場合はここの差が大きくでます。

実名顔出しの「信頼性」が最も生きる部分です。例えば、新聞に載る際に次の2つでは受ける印象が全然違いますよね。

- **「ブログで成功した佐藤さん」と顔写真付きで紹介される**
- **「ブログで成功したヒトデさん」とイラストで紹介される**

そのため、雑誌・新聞・テレビにでたい、講演会に呼ばれたいと思っている人は、実名で顔出しするほうが近道です。

もっとも僕自身は匿名にもかかわらずこうして本をだせていますので、そこまで気にする必要はないと思います。ただ、あくまで実名で顔出しできる人のほうが選ばれやすい、という話です。

また、何度も顔を見ることになるので、親近感を抱きやすかったり、オフ会などで話しやすかったりするのも隠れたメリットです。

匿名で顔出しなしのメリット

では逆に匿名で顔出しなしのメリットはというと、一番わかりやすいのが「プライバシーが守られる」ということです。例えばネットで人に嫉妬されたり、恨まれたりしてもリアルに波及することがほぼありません。本人に悪い点がなくても、成功していたりすると、人から恨まれたりするのがネットの怖いところです。そういった意味で、自分の身はもちろん、家族などの周りの人間を守ることにも繋がります。

また、自己責任にはなりますが、身バレに繋がりにくいので、副業を良く思われない会社での副業時にもおすすめです。

それぞれのメリットは逆にデメリットにもなりますので、自分の環境や、目指す目標によって選択していきましょう。ただ、**もし悩んでいるのであれば「匿名顔だしなし」ではじめることをおすすめします。**後から顔をだすことはできますが、その逆はできないからです。

図4-3　実名・顔出しと匿名のメリットとデメリット

実名・顔出し

●メリット

- しっかりしている人に見られる
- ブログ以外の舞台にでて行きやすい

▲デメリット

- ▲ネットでの行動がリアルに影響することもある
- ▲ストーカー被害などが生まれる可能性がある

匿名

●メリット

- 安全性が高い
- 副業としてやりやすい

▲デメリット

- ▲活動を広げたいときジャンルによっては不利
- ▲真面目な会議でハンドルネームで呼ばれると恥ずかしい

失敗しないために抑えておくべきポイントは2つ

既に有名な人と被っていないか？

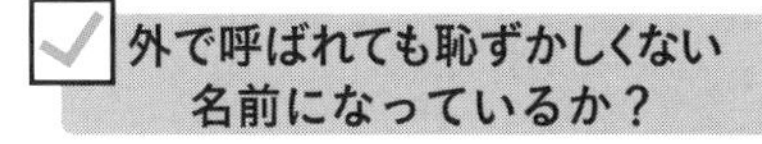

外で呼ばれても恥ずかしくない名前になっているか？

必ず、同じ名前の人がいないか検索しよう

ブログ活動がうまくいくと、外で名前を呼ばれることもあれば、真面目な会議に参加することもある。できれば「人の名前に聞こえる」「あだ名っぽく聞こえる」ハンドルネームにしておくと安心

4-4

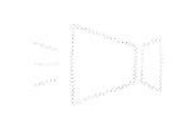

稼げるブログジャンルの選び方

ゆるポイント1 少しでも有利なジャンルだと作業がラク

ゆるポイント2 「売るモノ」が思いつけば、何でもOK

「どんなジャンルのブログを書こう？」と悩む人は多いと思います。よくブログのジャンル決めとなると、「儲かるらしいからクレカ！」「おすすめらしいから美容！」などと決めてしまう人がいますが、こういった考え方は誤りです。

上手くいくためのブログジャンルの「正しい」決め方をばっちりお教えします。

自分が何かしら有利な点で戦う

まず非常に重要な考え方の一つが**「自分が他の人より有利な点で戦う」**と

いうことです。過去に実務経験があったり、難しい資格を持っていたり、あるいはそれがすごく好きで情熱が注げる、そんなジャンルがあれば最高です。

なぜなら、いちから調べなくてもさまざまなことを知っているので時短になるし、仮に調べるとしてもそれが苦になりにくいからです。また、そのジャンルの人の気持ちがよくわかるというのも大きなメリットです。

逆にいうと、これらに一切当てはまらないようなジャンルを選ぶと苦労します。全然知らないジャンルで記事を書くためには、膨大な勉強が必要になるからです。ブログで記事を書く際には、今の知識だけでは不可能です。必ずインプット（＝勉強）が必要になります。

その勉強を「嫌々やるのか」「楽しくやるのか」では、結果にも大きな差がつきます。ぜひ「楽しく勉強できる」ジャンルを選びましょう。

「売るモノ」が思いつくか？

よく「○○のジャンルは稼げるからおすすめ！」といわれますが、はっきりいって、

月数万円レベルであれば、「1つの条件さえ満たしていれば」どんなジャンルでも到達可能です。その1つの条件とは「売るモノが思いつくかどうか」です。最終的にそのブログで月30万とか50万とか、あるいは100万円稼ぎたいのであれば、ある程度特定のジャンルでないと難しいですが、数万円レベルであればそんなことはありません。

そして、どんなブログを運営していても、何かしら売るモノは存在します。迷う方は、次にあてはまるような鉄板ジャンルで探してみてください。

- **新しくはじめるとしたら必ず必要なモノがあるジャンル（例：ギターの初心者セット）**
- **それを行う上であると便利なモノがあるジャンル（例：あると便利なキャンプ用品）**
- **おすすめ書籍があるジャンル（例：すごくわかりやすいレシピ本）**

こういった「売れるモノ」が思いつくのであれば、後はできる限り「自分が少しでも有利な部分」があるジャンルを選びましょう。

図4-4　ブログのジャンルの選び方

はじめてのブログは**「ほぼリサーチしなくてもいい題材」**がおすすめ！

「過去の自分がリサーチを終わらせているジャンル」**を選ぼう！**

もしくは**「とても興味のあるジャンル」**を選ぶのもアリ◎

リサーチが苦にならないジャンル
を選ぶのもOK!

「売るモノ」が思いつけばOK！

- **ブログのジャンル ➡** 料理
- **行う上で便利なモノは ➡**
  フライパン、オーブン、鍋
- **おすすめの書籍は？ ➡**
  『パリの小さなキッチン』

4-5

時短
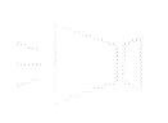

モチベーションアップ

そもそもブログって何を書けばいいの？

ゆるポイント1 「好き」が武器になる

ゆるポイント2 「これから勉強したいジャンル」にすると一石二鳥

「自分が何かしら有利な点」といわれてもピンとこない人も多いと思います。この考え方について、詳しくお話しします。**「何かしら有利」とは、記事を書く際にリサーチ（調査）が不要、もしくは最低限で済むブログ記事ということです。**

誰にでもすごくハマったことやすごく好きなこと、頑張ったことがあると思います。こういったジャンルでは、リサーチがすでに完了していることが多いので時短になります。

- **当時のリアルな体験**
- **当時調べていて困ったこと**
- **当時問題解決のために調べた情報**

これらが全てブログ記事のネタになります。

普通なら記事を書くために調べる必要があることを、過去の自分が終わらせてくれているという状態ですね。このアドバンテージは本当に大きいです。**自分の体験に基づいた記事は、嫌でもオリジナリティにあふれた記事になります。**他の人と似通った記事ではなく、血の通った独自の記事を作成することが可能です。

「これから勉強したいジャンル」を選ぶのもあり

「自分には人より有利なジャンルなんてない！」という人もいると思います。その場合には、これから勉強したいジャンル（興味関心の強いジャンル）を選びましょう。

単純に自分が興味あることを調べ、勉強を進めていく過程を記事にしていくのです。**成長過程をブログで発信することで、自分のための勉強がそのままブログ記事のリサーチに繋がります。**

ブログで成功するための最重要ポイントは継続することです。嫌いなジャンルでは100％継続できません。ブログ初心者の方は、ある程度知識があるか、自分の興味関心が強いジャンルの記事から書くようにしましょう。

4-6

避けたほうがいい広告やジャンル

ゆるポイント1 基本的には自由

ゆるポイント2 「健康に関するもの」だけは避けよう

基本的にブログジャンルは自由ですが、「お金を稼ぐ」ことを目的とする場合、「健康関係」のジャンルだけは避けましょう。

健康ブログをおすすめしない理由

大きな理由としては2点あります。

①自分のブログの情報で病気が悪化する可能性があるから

②グーグル検索がとても厳しいから

①については、モラル的な部分が大きいです。健康に関する症状は、人によって千差万別です。医者でもない素人の意見は時に危険です。「自分の発信

で病気が悪化するかもしれない」というのは、きついものです。

そして、ブログの収益化において②の問題のほうが圧倒的に大きいです。アクセスを集めるためには「グーグルからの検索流入」が非常に重要なのですが（第5章1節で解説します）、健康ジャンルは、この検索流入が期待できません。

その理由は、例えばグーグルの検索エンジンを使って「癌の治し方」を検索した結果が、「この100万円の水を飲めば癌が治ります！」と書いてある記事だったら、グーグル検索の信頼はガタ落ちです。誰も使いたがりません。

そうならないように、特に人の命が関わるような内容は「この記事は間違いなく医者が書いているな」とわかるサイトの記事しか上位に表示しなくなりました。**つまり、健康ジャンルに一般人が参入しても、そもそも戦えないのです。**

ブログ流入の非常に大きなポイント「グーグルからの流入」を捨てて戦うのは、かなりのハンデ戦になります。はっきりいって、初心者にはかなり厳しいです。練習日記として書くのであれば問題ないですが、稼ぐためにブログを書くのであれば、健康ジャンルは避けるようにしましょう。

基礎知識　時短

4-7

記事に必要な5つの要素

ゆるポイント1　見出しを冒頭にも掲載すればそのまま目次になる

ゆるポイント2　目次を先につくると本文はスラスラ書ける

まず、ブログの全体像のお話をします。**ブログ記事に必要な要素は89ページの図のように、「記事タイトル」「アイキャッチ画像」「リード文」「見出し」「本文」の5つです。**

最初の判断材料は記事タイトル

読者は「記事タイトル」と、次に説明する「アイキャッチ画像」でその記事を読むかどうかをまず判断します。

しかも、検索エンジンでは基本的に画像はでないので、**記事タイトルが読むかどうかの唯一の判断材料です。**記事内容を判断できて、「私の悩みが解決するかも」「読んでみたい！」と思ってもらえるタイトルをつける必要があります。例えば、ある商品を買うべきか悩んでる時に、「実際に［商品名］を5年使った私が正直レビュー！」というタイトルの記事があれば、読みたくなるはずです。**記事タイトルの見直しで流入数の改善に繋がることもあります。**

アイキャッチ画像

続いてアイキャッチ画像です。一般的には記事タイトルの下に表示されます。アイキャッチ画像とは、その名の通りユーザーの目を引きつけるための画像です。例えば料理のレシピ記事なら、美味しそうな完成した料理の画像にするなど、記事の内容に沿った、読者の興味を引く画像を選びます。検索画面には表示されないことが多いですが、**SNSからの流入を狙う場合に非常に重要な要素です。**また、このアイキャッチ画像がおしゃれだと、ブログ全体もおしゃれな雰囲気になっていきます。

リード文

記事のはじめには「リード文」という文章を書きます。リード文は、本文に入る前に「この記事にはこんなことが書いてありますよ」と説明する導入文のことです。**読者はここで「この記事を最後まで読むか」「この記事は読む価値があるのか」を判断する**ため、ある意味本文以上に重要なポイントです。

見出し

見出しとはそこに書いてある内容がひと目でわかるように、文章の前に示す簡単な言葉のことをいいます。記事をはじめから最後まで一気に繋げて書かず、話が変わる際は「見出し」を使って区切ってあげることで、より読みやすい記事になります。また、記事の冒頭に目次を入れる場合、この「見出し」がそのまま「目次」になります。

「全部読まなくても、最悪目次だけ読めば何となく書いてあることがわかる」という状態を目指すと、読者にとって読みやすい記事になるのでおすすめです。**実際に書く際は、まず目次を書いてから本文を書くと迷わず書けます。**

本文

最後に本文です。「ブログを書く＝本文を書く」というイメージの人は多いですが、

図4-7　記事の主な構成要素

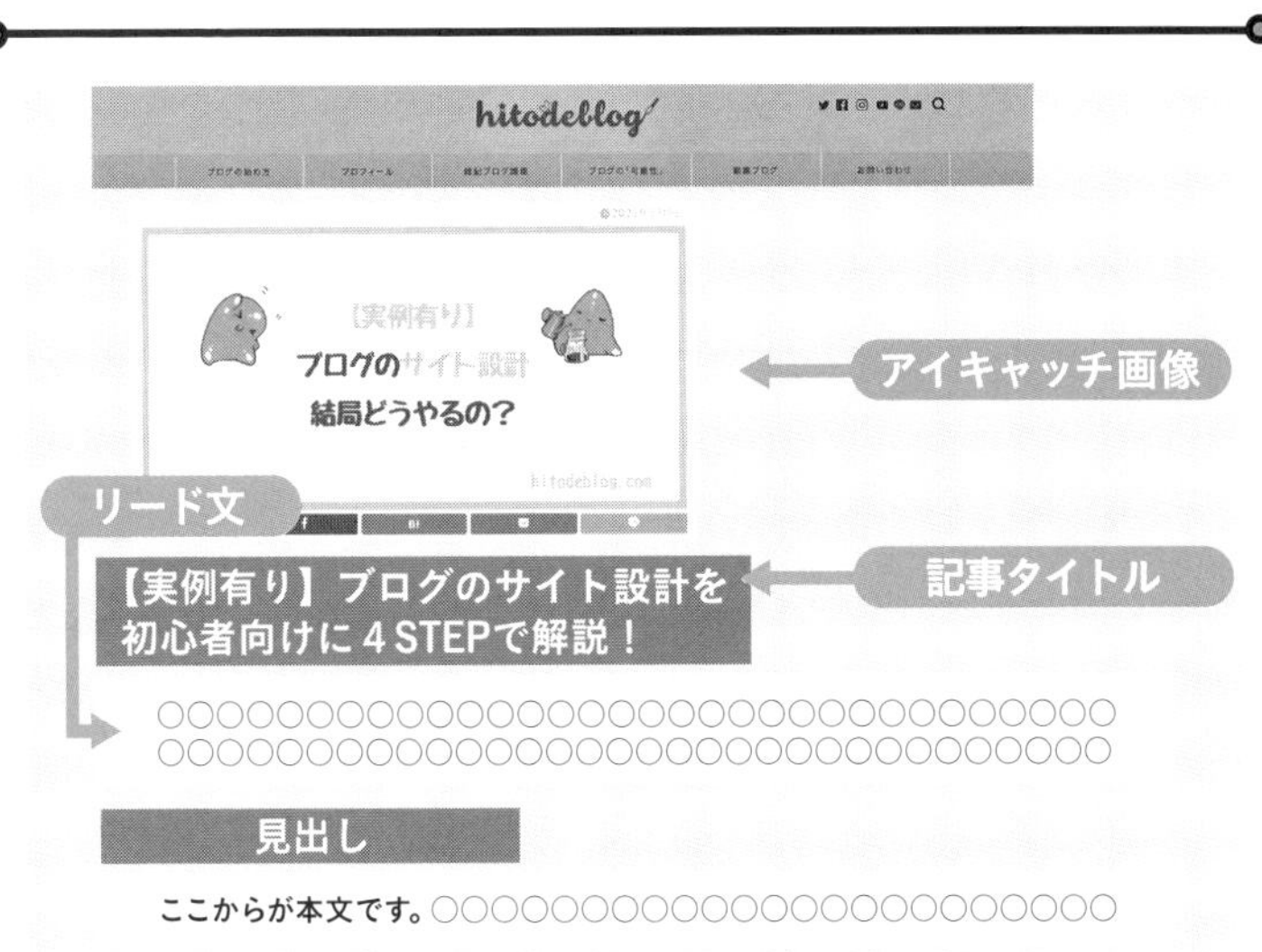

実は最重要というわけではありません。もちろん本文がしっかりしているに越したことはないですが、個人的には「タイトル」「リード文」「見出し」のほうがより重要だと思っています。

というよりも、**「タイトル」「リード文」「見出し」がしっかり考えられていると、本文を書く作業はとてもラクになります**。逆に、それらをおろそかにして、本文ばかり書こうとすると行き詰まってしまうことが多いです。

なかなか記事が書けないぞ……と困ったときは、ぜひ他の要素がしっかり書けているかを気にしてみてください。

4-8

超重要！記事タイトルの考え方

ゆるポイント1 記事タイトルが良ければ読んでもらえる！

ゆるポイント2 5つのコツで「良い記事タイトル」をつけよう

とても重要なのが「記事タイトル」と「見出し」の考え方です。**特に記事タイトルは重要で、おろそかにすると、どんなに良い記事を書いても読んでもらえません。**そうならないために、グーグルに「この記事は、これで検索した人に届けたいです！」とアピールする必要があります。

そのためには5つのポイントが重要になります。それぞれ詳しく解説していきます。

①検索キーワードを入れること

読者の立場でも①のようになってい

たほうが何について書いてあるのかわかりやすいですが、**記事タイトルの一番の目的は「グーグルに伝えること」です**。グーグルが「この記事、この悩みについて答えているな」と理解してくれないと、絶対に上位表示されないからです。狙ったキーワードは必ずタイトルに入れましょう。

② 32文字程度であること

2つ目のポイントは、記事タイトルを32文字程度におさめることです。なぜなら、**検索結果に表示される文字数には限界があるから**です。デバイスによっても変わりますが、ざっくり最大で30～35文字程度が表示されます。つまり、記事タイトルがあまりに長すぎると、どのような記事なのか検索結果の画面だけでは判断することができません。

そして、中身のわからない記事は、当然開いてもらえません。

そのため、記事タイトルはできるだけ32文字程度におさめることをおすすめしています。

もしどうしても33文字以上の長い記事タイトルをつける場合は、検索結果から記事タイトルが32文字で切れても、記事の内容がわかるようにつけましょう。

③具体的な数字が入っていること

3つ目のポイントは、記事タイトルに具体的な数字が入っていることです。これは、今までの2つと比べると重要度は低く、どちらかというと「より読まれるためのテクニック」になります。

記事タイトルに具体的な数字を入れることで、「情報量はどれくらいか」「記事内容の具体的なイメージ」を読者に伝えることができるので、その結果クリック率が高まります。例えば「電気代を安くする方法」ではなく「電気代を月々1570円安くする方法」などと、タイトルに具体的な数字を入れられないかと考えてみてください。

④記事を読むメリットが伝わること

4つ目のポイントは、記事タイトルだけで記事を読むメリットが伝わることです。読者は、何らかのメリットがあるから記事を読みます。裏を返せば、**メリットがわからない状態では記事を開いてもらうことすらできません。**そのため、記事を読むことでどのようなメリットがあるのかを、記事タイトルを読むだけで伝わるようにしてく

図4-8　良い記事のタイトルの特長

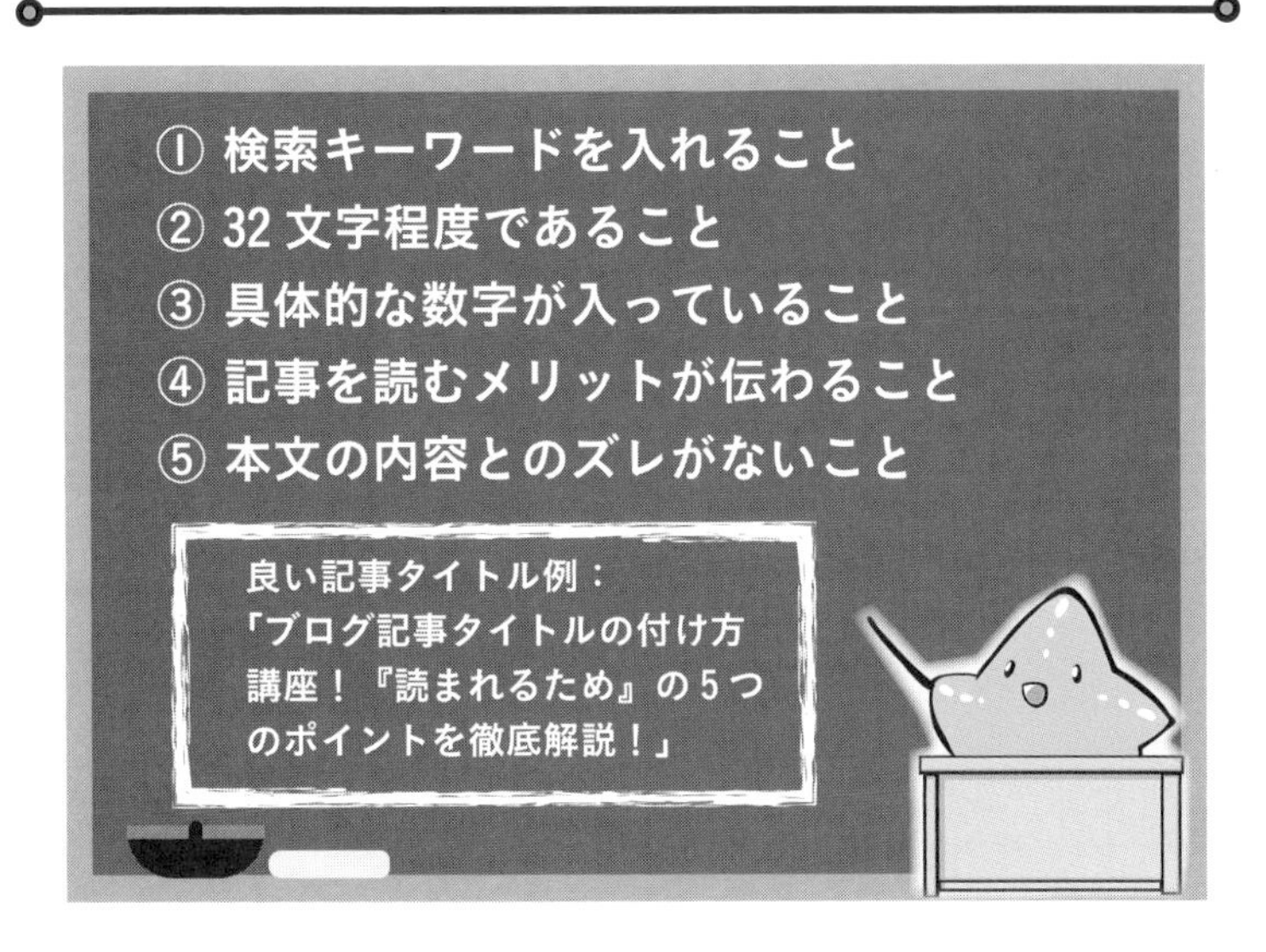

ださい。

⑤本文の内容とのズレがないこと

最後のポイントは、本文の内容と記事タイトルにズレがないことです。当たり前のことですが、**初心者の方が意外と犯しがちなミスの一つです。**

記事の中で話が二転三転し、結局タイトルの疑問に答えてない！　なんてことにならないよう、記事を書き終えたら、内容とタイトルにズレが生じていないかを必ず見直すクセをつけましょう。

時短

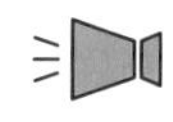

集客

4-9 もう悩まない！クリックしたくなる画像の選び方

ゆるポイント1　**最初は無料素材で十分！**

ゆるポイント2　**オリジナルのイラストも1,000円程度で描いてもらえる**

初心者の方が悩むポイントの1つに「ブログで使う画像ってどうすればいいの？」というものがあります。たまに**「適当に検索してでてきた画像を使っています」という人がいますが、これは絶対にNGです。**トラブルの元なので今すぐやめましょう。

もしどうしても他の人のサイトの画像を使いたい場合は、許可を取るようにしてください。連絡が取れないのであれば、最低でも引用元を明記して、リンクを張るようにしてください（それでも相手側が嫌がるならやめましょう）。

そういうと、「検索ででてきた画像が

ダメなら、全部自分で撮らないとダメなの？」と不安に思うかもしれませんが、そんなことはありません。ズバリ、**「フリー素材サイト」を利用すればOKです。**フリー素材サイトとは、簡単にいうと、規約を守ってくれればブログなどでこのサイトの画像を無料で自由に使っていいよ、というものです。

フリー素材サイトと一口にいっても、本当にさまざまな種類のものがあります。97ページで、僕も実際に使っているフリー素材サイトを紹介します。

人と被りたくないなら、有料の素材サイトを使うのもあり

もし、ブログの画像にこだわりたい場合は、今紹介した無料のサイトではなく、「有料で写真や画像を購入する」のも1つの手です。正直初心者のうちは無料のものでも十分ですが、後々こだわりたくなったときの選択肢として覚えておくといいと思います。

メリットとしては、何より他のブログと被りにくく、オリジナリティがでますし、よりイメージ通りのクオリティが高い写真を掲載することが可能です。**有料の素材サイトとしては「shutterstock」「PIXTA」などが有名です。**

オリジナルのイラストがほしいなら

また、僕も行っているのですが、「オリジナルのキャラクターイラストを使う」のも1つの手です。これだと100％人と被ることはありません。キャラクターについては自分で描ける人はそれでいいですが、おそらくほとんどの人は描けませんよね？（僕も描けません）

そんなときは、**絵が描ける人と、描いてほしい人をマッチングしてくれるサービスを使うことをおすすめします。**最も有名な「ココナラ」というサイトを見てみると、「描きたい！」という人がたくさんいますので、ぜひのぞいてみてください。相場は1枚1000円くらいのことが多いです（ただし人によってかなり差があります）。

ブログにおいて、画像やイラストは記事を見やすくする非常に重要な要素です。お金をかけなくても取り入れることができるので、まずは無料の素材サイトを使って、ぜひブログに画像を取り入れてみてください。

図4-9　著者も使っているフリー素材サイト

名前	特徴
いらすとや  	イラスト系フリー素材のド定番で、もはや、ない画像がないほど。企業を含めて、本当にさまざまな場所で使われている。唯一の欠点としては知名度が高いため、見る人が見れば「あ、いらすとやを使っているな」とすぐにバレてしまうことくらい **ジャンル／URL** イラスト　https://www.irasutoya.com
PAKUTASO （ぱくたそ） 使って楽しい、見て楽しい PAKUTASO	実写系の画像を探したいならPAKUTASOがイチオシ。日本の会社が運営しているので、非常に探しやすい設計で、日本人のモデルを使った写真も多い。こちらも知名度が非常に高いので、見る人が見ると「あ、PAKUTASOの画像だ」とすぐバレるのが唯一の欠点 **ジャンル／URL** 実写（国内）　https://www.pakutaso.com
O-DAN （オーダン）  	画像は世界共通なので、海外にある多くのフリー素材サイトを活用するのも1つの手。センスの良いオシャレな画像は、やはり海外のもののほうが頭一つ抜けている。しかし、海外のサイトは当然外国語で書かれており、ハードルが高いのが難点。そこで「O-DAN（オーダン）を使うと、複数の海外のフリー素材サイトを「日本語で」検索することができる。ブログで海外のおしゃれな画像を探したい場合は利用してみるのもいい **ジャンル／URL** 実写（海外）　https://o-dan.net/ja/

4-10

時短

売上アップ

記事を読みたくなるリード文の書き方

ゆるポイント1 リード文が上手く書けると、全部読んでもらえる

ゆるポイント2 2点を押さえるだけで上手に素早く書ける

ブログの本文を書くときに、僕が最も重要だと思うのが「リード文」です。

はっきりいって、記事を最初から最後まで読む読者はあまり多くありません。

しかし、リード文に限っては、記事に入ってきた読者ほぼ全員が読んでくれます。

つまり、このリード文がしっかり書けていれば、その先の本文を読んでもらえる可能性がグッと上がります。

そして、しっかり本文を読んでもらえることは、収益化に繋がります。

- **ページに滞在する時間も延びる**

・関連記事を読んでもらえる確率も上がる
・紹介している商品やサービスが売れる確率も上がる

リード文は適当に済ませる人が多いのですが、ぜひ一度真剣に考えてみましょう。

リード文を上手く速く書くコツは2つだけ

このリード文ですが、難しく考えなくても、実はたった2つのコツを知っているだけで良いものが迷わず書けます。それが次の2点です。

①この記事の対象読者を明確にする（共感）
②この記事を読むことで何を得られるかを明確にする（メリット）

まず1つめの「共感」とは、ズバリ「この記事の対象読者、俺（私）じゃん！」と認識してもらうことです。

人は「自分のための記事だ！」と思うと、その先の文章に一気に引き込まれていきます。この部分をしっかり書くためには、その記事を「誰のために書いたのか」を明確にする必要があります。自分が記事を読む立場になって、ぜひ考えてみてください。

2つめの「メリット」とは「この記事を読むと、読んだ人にどんないいことがあるのか」ということです。これはリード文に限らず、非常に本質的で重要な部分です。なぜなら「この記事は自分にとってメリットがある」と思ってもらえれば、その記事は絶対に読まれるからです。超極端な話、「この記事を最後まで読んだら絶対100万円もらえる」ということがわかっていたら、誰でも最後まで記事を読むと思います（詐欺とかそういうのは置いておいて）。

そのため、「この記事を読むことによるあなたのメリット」を明確にしてあげるのが、リード文の一番の役割です。

こんないい方をすると難しく感じるかもしれませんが、ほとんどの人は検索するとき「何かを解決したい」と思って検索をします。そこで「この記事だと、あなたのその悩みを完璧に解決できるよ！」と教えてあげるリード文を書きましょう。

図4-10　リード文の重要性

リード文へ入れるメリットの例

- 3LDKの家で使えるおすすめの掃除機が迷わず選べます
- この映画の伏線と意味がすべてわかります
- 仕事を辞めた後にすべきことが時系列順でわかります

4-11

時短

最初の記事は自己紹介を書いてみよう

ゆるポイント1　自己紹介ならきっと一番速く上手く書ける

ゆるポイント2　だんだんとレベルアップすればOK

「とりあえずブログを開設したけど、最初の記事は何を書けばいいの？」と思っている方に答えると「何でもＯＫ」です。そうはいっても、困ってしまう人も多いですよね。もちろんはじめからブログのテーマや方向性がばっちり決まっている場合はそこに向かっていくのが望ましいのですが、ここではそのあたりがまだ定まってない人向けにお話しします。

自己紹介記事はあなたが一番上手く書ける

「最初の記事は何を書けばいいの？」と困っているのであれば「自己紹介（プ

ロフィール）記事」を書いてみましょう。**なぜ自己紹介がおすすめかというと、これをあなた以上に上手く書ける人はいないからです。**あなた自身のことは、あなたが誰よりも詳しいはずです。100%オリジナリティのある記事になりますし、書きやすいテーマで速く書けます。最初の練習としてはもってこいです。

また、練習としての役割以外にも、自己紹介記事を書くと良いことがたくさんあります。

- **読者に、自分が何者なのか明かすことができる**
- **これから書いていく記事ネタの棚卸しになる**
- **自己紹介記事がきっかけでファンが増える可能性がある　など**

今後書き直すことはあるかもしれませんが、自己紹介記事はつくっておいて無駄ではありません。「こんな個人が書いていますよ」ということが開示されていると読者も安心ですし、ファンになってくれる人が現れる可能性があります。自己紹介を通じて、ブログの記事ネタを発掘できる可能性もありますね。

「とりあえずブログを立ち上げたけど、何書いたらいいんだ〜!」という方は、ぜひ記事を書く練習も兼ねて、自己紹介記事を書いてみてください。

4-12

初心者はまずはこの書き方だけ押さえておけばOK

ゆるポイント1 読者を想像できれば執筆アイデアがどんどんでてくる

ゆるポイント2 それだけで、成長速度が格段にアップ！

ブログ初心者の方は、実際に記事を書いていて、

「この書き方で合っているのか？」

「何かもっと意識しないといけないのでは？」

「このまま何十の記事を書き進めて大丈夫なのか？」

と不安に思うことがあると思います。基本的に、ブログの書き方に正解はありません。

それでも「最低限これだけ知っておいたほうが、今後伸びやすいだろう」と思う部分がやはりあるので、ブログ記事を書くにあたってこれだけは絶対に押さえておこう！という項目を1

つだけピックアップします。

それは**「どんな人に」「どんなことを」伝えたいのかを明確にしてから記事を書く**ということです。

もう少し踏み込むと、その記事で「どんな人の」「どんな悩みを解決するのか」を明確にする、ということです。稼げているブロガーは、ほぼ100%これができています。これだけだと難しいと思うので、もう少し詳しく解説します。

「誰に」「何を」伝える？

初心者の方は、「誰に」「何を」伝えるかを考えてから記事を書くだけで、ブログ執筆の成長スピードが段違いに上がります。絶対に、です。例えば新宿にあるおいしいラーメン屋の記事を書くことになったなら、次のように考えます。

- **どんな人に読んでほしいのか↓新宿でラーメンを探している人に**
- **何を伝えたいのか↓そのラーメン屋の魅力を伝えたい。そのラーメン屋を知ってほしい**

これを行うと、「誰かの役に立つ記事」になります。もうちょっというと「誰かの悩みを解決する記事」になります。**悩んでいる人がいる限り、その記事は100%読まれます。**

例えば、「ラーメン屋に行った。おいしかった」というだけの記事でも、そのラーメン屋に行く人の悩みを解決しようという考えで書きはじめると、次のようにたくさんのアイデアがでてきます。

「メニューを事前に知りたいかもしれない。メニューを載せておこう」

「駐車場がわかりにくかったから、行き方を書いておこう」

「店内の雰囲気が気になる人もいるかもしれないから、写真を載せよう」

「子ども連れでもOKか気になる人もいるだろうから、問題なく対応してくれたことも書いておこう」

そして、**この「悩みを解決する」という視点のあるなしが「読まれるブログ」と「読まれないブログ」の違いです。**決して文章の上手い下手やセンスではありません。

ぜひ、あなたのブログ記事が「どんな人の」「どんな悩みを解決できるのか」を明確にしてから記事を書いてみてください。それだけで成長速度が全く変わってきますよ。

図4-12　悩みを解決できる記事とできない記事の違い

悩みを解決できる記事

誰に何を伝えたい
のかが明確

悩みを解決できない記事

誰に何を伝えたい
のかがわかりにくい

自分が書きた
いことを書け
ばいいよね

ラーメンの記事の場合

◎良い例

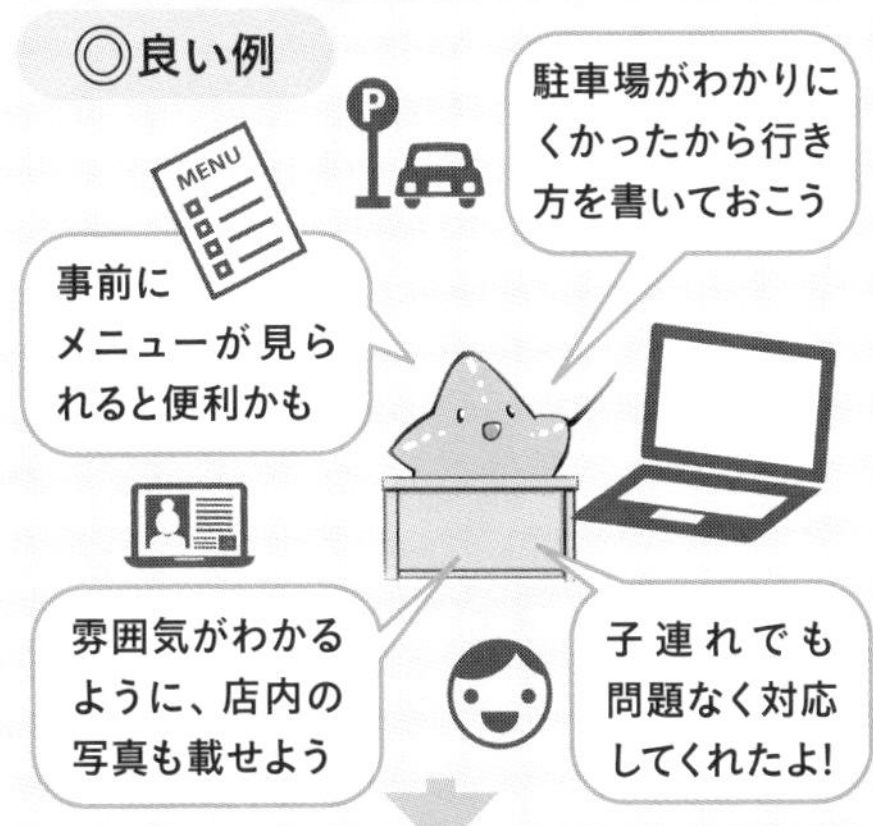

ラーメンを食べに行くだけでも
誰かの悩みを解決する記事になる

✖悪い例

ラーメン食べた。
おいしかった。
また行きたい。

ただの感想。
悩みが解決でき
ない

4-13

売上アップ　センス不要

読みやすいブログにする3か条

ゆるポイント1　読みやすい文章は簡単につくれる

ゆるポイント2　文字数よりも余白で読みやすさを演出する

ブログの重要なポイントの一つが「読みやすさ」です。どんなに良い文章でも、読んでもらわなければ広告収入が得られません。記事の内容ももちろん重要ですが、同時に「読みやすさ」も意識していきましょう。

ブログ記事の読みやすさは「ちょっとしたコツ」を知っているだけで、爆発的に読みやすくなります。これからその「ちょっとしたコツ」を3つ紹介します。

①結論をとにかく早く書く

たまに結論をとにかく引き延ばす人がいますが、これはNGです。テレビならそれでもいいですが、ブログの場合は結論をとにかくすぐに書きましょう。

なぜなら読者は、あなたの文章をしっかり最後まで読んでくれないからです。**後半に答えが書いてあっても、そこまでたどり着けずに「何だよ、このブログ。よくわからないし他のサイト見よ」と、離脱してしまいます。** 残念ながらあなたのブログ以外にも無料のものがたくさんあるからです。

「でも、いきなり答えを書いたら、結論だけ見てすぐに離脱されちゃうんじゃない?」と心配になるかもしれませんが、そんなことはありません。皆その結論に至った理由が知りたくてしっかり読んでくれるので安心してください。

②パッと見の見やすさを重視する

「パッと見の見やすさ」は非常に重要な項目です。文字がギッシリ詰まって見えるブログ記事はあまり読まれません。

なぜなら、ブログの読者は(こうやって本を読んで勉強している、あなたのような素晴らしい人と違って)本を定期的に読むような人ばかりではないからです。普段、全く活字を読まない人もいるでしょう。そんな人に、文字だらけのページを表示しても、すぐに離脱されてしまいます。

対策として**「改行を多めにとる」「テキスト以外の要素を上手く使う」**というものがあります。ブログの文字数は、実質無制限です。どれだけイラストを入れても、改行を入れても、ページ数がオーバーになることはありません。その特性を利用して、「パッと見で見やすいページ」を作成していきましょう。

個人的には、次の2点を意識するだけで、かなり読みやすいブログになると思っています。

- **「。」を書いたら改行**
- **スマホで見たときに、1画面が文字だけにならないようにする**

読みやすい工夫に正解はないですが、基準がわからず悩んでいる人は、1つの例としてぜひ試してみてください。

③重要な部分では目が留まる工夫をする

こちらも先ほどと同じく、読者が全部を隅々まで読んでくれないからこそ、重要な

図4-13　読みやすいブログ記事の見せ方

3 重要な部分では
目が留まる工夫をする

例:色を変える、
文字サイズを変える、
枠で囲う

部分です。どんなに良いことを書いていても、気づいてもらえなければ無意味です。そのため、**そもそも「どこに何が書いてあるか」を明確にすることが重要です**。見出しをしっかり考えてつくれば、目次がその役割を担ってくれます。

また、**重要な部分はきちんと「重要であることをアピールする」**ことも大切です。太字にする、色を変える、文字サイズを変える、枠で囲うなど、「ここ重要ですよ！」としっかり読者にアピールしましょう。

4-14

時短

センス不要

「書けない」がなくなる。ネタ切れの対処法

ゆるポイント1 「学んだこと」もネタになる

ゆるポイント2 コンセプトを振り返ると自然と書ける

「ブログのネタ切れ問題」は、特に初心者の方が陥りやすい問題です。はじめのうちはいろいろと書くことがあっても、だんだんとブログのネタがなくなってくることが多いです。

僕もブログをはじめてしばらく経った頃からブログネタに困る日が続いていました。でも、今は全くそうしたことはありません。なぜなら、「ネタ切れしないブログネタの探し方」がわかったからです。ここではその「ネタ切れの対処法」を解説します。

ブログのネタ切れを防ぐ方法は、「**インプットを増やす**」「**コンセプトを明確にする**」の2つです。

①インプットを増やす

まず①インプットを増やす、ですが、単純に書くことがないということは、「もう自分の中からだせるものがない」ということです。それを解決するためには「また新しく情報を入れましょう」という非常に単純な話ですね。とはいえ、これだけだと具体的にどうすればいいのかわからないと思うので、2つのおすすめインプット方法をお伝えします。

まずは「自分のブログテーマに関する読書」です。「読書？ 普通だなぁ」と思ったかもしれませんが、必殺技として「1冊や2冊ではなく、10冊一気に読む」ということを試してみてください。この「同じジャンルの本を複数読む」ことの効果は絶大で、

- **どの本にも書いてある＝本質的にそのジャンルで重要なことがわかる**
- **本によっていろいろな切り口があるので、記事の切り口の参考になる**
- **10冊も読めば、嫌でも知識が深まる**
- **すると、必然的に記事ネタが増える**

といいこと尽くめ。さらに、実はこれには副次的な効果もあります。それが「本を読んだこと自体がネタになる」ということです。

- **それぞれの本のレビュー**
- **(読んだジャンルの本で) おすすめ本ランキングベスト5**
- **10冊読んだ自分がおすすめする1冊**

といった記事も書くことができますね。

続いておすすめするのが、「テーマに関する資格の勉強」です。これの良い点は、本よりもさらに体系的に学べる点です。

「感覚的にはわかっているんだけど、いざ記事を書こうとすると難しい……」という体験をしたことはないでしょうか？ これは、自分の中で言語化できていないことが大きな理由です。資格の勉強を通じて、理解が深まり、言語化できるようになっていきます。

さらに、実際にその資格を取ることで「権威性」「信頼性」といったものが手に入ります。何の資格もない人の記事よりも、「こんな資格を持っている私が、これについて

図4-14-1　「インプットを増やす」と一石二鳥

インプットを増やす

得た知識で記事が書ける。しかも、本を読んだこと自体がネタになる！

教えます」と書いてある記事のほうが読みたくなりますよね。このように「資格」には読者から信頼され、すごいと思ってもらえる効果があります。

さらに、本と一緒で「資格を取ったこと自体」もネタになります。

- **その資格の勉強法**
- **資格取得に役立つ参考書**
- **その資格はどんな資格なのか**

こんな話がしていけそうです。ただ、正直「ブログのためだけに」資格を取るのは苦痛なので、できれば「勉強したい」「今後のために資格がほしい」というジャンルでやれるとすごくいいですね。

②コンセプトを明確にする

続いて、ブログのコンセプトの話です。記事ネタがでてこないという人は、そもそも「ブログのコンセプトが明確ではないから」ということが多いです。**雑記ブログではじめた場合に陥りがちなパターンです。**

ただ、少し難しい話なので、はじめたばかりの初心者の方はそこまで意識しなくても大丈夫です。

「コンセプト」というのは、「あなたのブログはどんな人に何を伝えて、その人にどうなってほしいのか」が明確になっているかという話です。

「限定してしまうと、ネタがなくならないの？」と聞かれそうですが、完全に逆です。

例えば「今から何でもいいから話してください」といわれても何を話すか困ってしまうと思いますが、「今から、あなたの家族のことを紹介してください」といわれたら圧倒的に話しやすいですよね。「家族構成」「年齢」「どんな性格か」「どんな趣味か」「思い出深いエピソード」など、次々に話すべき内容がでてくると思います。

図4-14-2 「コンセプト」はなぜ必要？

つまりコンセプトが明確になっていれば、そのために伝えないといけないことはどんどんでてきます。

そのため、どうしてもネタがない！という人は、一度自分のブログを振返って「そもそもこのブログは、どんな人に、何を伝えて、その人にどうなってほしいのだろう？」と考えてみてください。

きっと、まだまだ書きたい記事ネタが見つかるはずです。

4-15

時短

モチベーションアップ

ブログ記事がなかなか完成しないときの対処法

ゆるポイント1 60%の完成度でアップしてOK

ゆるポイント2 未来の自分に仕上げを任せる

ブログをはじめた際に多くの人があたる悩みに「納得いくものができてなくて、全然投稿できない〜！」というものがあります。その人の性格にもよるのですが、完璧主義な方に、特に多い悩みです。対処法とその際の考え方について説明します。

なかなか記事が完成しない＝人より劣っているわけではない

はじめにこれだけはいっておきますね。周りのガシガシ書いている人や毎日更新している人、そしてそれによって早々に結果をだす人を見て**「自分は**

ダメなんだ」と思ってしまう人もいるかもしれませんが、そんなことは全くありません。

これは完全に人間の個性、素質によるものです。「より良いものをだしたい」「完璧なものをだしたい」「恥ずかしくないものをだしたい」それ自体は素晴らしいことであり、それが劣っているとか、駄目だとか、そういった問題では一切ありません。これは保証します。

60%の出来でも投稿してみる

それでも、初心者の方が、ブログを続けてレベルアップをしていきたい！と思うのであれば。「60%の出来でも投稿する」というのを実践してみてほしいです。

ブログ初心者の方は「書く⇓投稿する⇓反応を見る（記事がたまっていく）」というサイクルを回していくのがとても重要です。

というのも、**初心者のうちは「とりあえず書いて投稿する」だけでも学んでいけることがめちゃくちゃ多い**からです。

PCで書く文章に慣れていない人の場合は特に顕著で、露骨に上手くなっていくし、記事を書くスピードも速くなっていきます。もちろんそれだけだといつか停滞するわけですが、少なくともはじめのうちはある程度まで上達できてしまいます。

実際にアウトプットをすることでより学びも深くなるし、フィードバックももらえたりして技術面でも、モチベーションの面でも差がつきます。**モチベーションはブログ初期においてバカにできない要素です。**自分1人でもんもんと書き続けるのと、1人でも更新を待ってくれている読者がいるのとでは雲泥の差です。

しかし、投稿しないことには読者は1人も増えません。ですから、はじめのうちは、記事自体の質よりも「実際に書いたかどうか」のほうが遥かに重要です。

自分は成長するから、どうせ将来絶対直したくなる

基本的にブログ初心者の方は書けば書くほど上手くなっていきます。試しに、すでに100本以上書いているブロガーさんに、はじめのほうに作成した記事を見せてもらってください。大体かなりひどい記事が上がっています(すでに削除している人や、それがはじめてのブログではない人もいますが)。

ちなみに、**僕はわざと昔書いた記事も残しているのですが、今その記事を見たら「直**

図4-15-1　完成度60%の記事でも公開していい理由①〜②

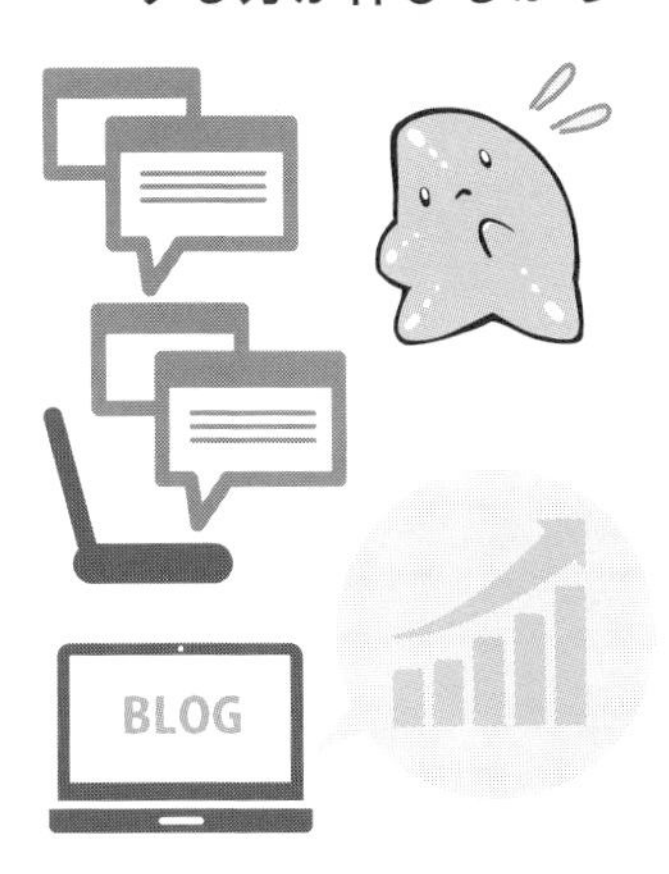

❶ とりあえず書いて投稿する方が伸びるから
BLOG

❷ 成長したら今の記事の完成度は下がるから

せる部分」がたくさん浮かびます。なぜなら現在は、

- **文章を書くことに慣れている**
- **SEO的にも良い文章を知っている**
- **読みやすい文章についてもわかる**

このように当時よりもより良い文章が書けるという状態なのです。

要するに何がいいたいのかというと、今の時点で100%完璧な記事を書いたとしても、100本の記事を書いてから振り返ると50%以下の力で書けるような記事になっているよ、ということです。

ブログは公開後も修正できる

そして、**ブログ記事は書籍と違って、後からいくらでも修正・加筆が可能です。**これがブログの本当に良いところで、自分のレベルアップに合わせて、過去の記事でもどんどん良いものに変更していけます。完璧な記事を書きたいのであれば、未熟な状態の今頑張るのではなく、**レベルアップした後の自分に、より完璧に記事を仕上げてもらうほうが間違いなく効率がいいです。**

公開すれば誰かの役に立つ

とても良い90点の記事でも、公開していなければ誰にも読んでもらえません。逆に30点の記事だとしても、もしかしたら誰か1人くらいの役には立つかもしれません。逆にいうと、完璧を目指して公開をしていなかったら、その1人は助からなかったということです

そして、後からその30点の記事を自分なりに50点、70点、90点とレベルアップさせて、より多くの人に役立つ記事にしていけばいいだけです。そもそも公開しないこと

図4-15-2　完成度60%の記事でも公開していい理由③〜④

③ 後からいくらでも修正できるから

④ 公開すれば誰かの役に立つから

にはどんな評価がつくかわからないですからね。

適当に書いたはずの記事がバカ受けしたり、逆にめちゃくちゃ気合いを入れて書いた記事が読まれなかったりなんてことは、ある程度書いているブロガーなら誰でも経験することです（僕も死ぬほどあります）。

まずは勇気をだして、自分の記事をどんどん世にだしていく。そうすることで、多くのことが目に見えてきます。初心者の方は自分にとって「60%の完成度の記事」「60点の記事」でもどんどん投稿して、上達していきましょう。

4-16

集客

モチベーションアップ

自分より詳しい人がいて記事が書きづらい人へ

ゆるポイント1 「にわか」「素人」が逆に強みになる

ゆるポイント2 伝える層を変えるだけで、プロにも勝てる

実際に記事を書こうとすると、

「自分よりも詳しい人がいる……」
「私なんかが書いても、バカにされるかも……」

という壁にあたると思います。しかし、はっきりいってこれらは全く気にする必要はありません。

「にわか」「素人」の書いた記事にも価値はある

この理由はとても簡単で、いわゆる**「にわか」「素人」の人にしかない視点がある**からです。そしてその視点は、すでにある程度極めている人たちにはないものです。

例えばギターで入門者向けの曲を弾きたい場合、プロのギタリストのテクニック論よりも、ギター歴半年の友だちから失敗談や注意点を聞くほうが、参考になるはずです。プロの人たちは、最近はじめた人と比べて「わからない人の気持ちがわからない」からです。

もちろん技術的な話をすればプロにはかないません。それでも、「にわか」だからこそ「素人」だからこそ、同じような**「初心者」の人たちに寄り添った「刺さる」コンテンツを書くことができます。**「玄人」「上級者」の人たちが「こんなことといわなくてもわかるでしょ?」と飛ばしてしまうところでも、最近実際につまずいたあなたなら教えてあげられます。

ぜひ、臆せず書いてください。

伝える層が変われば、刺さる記事も変わる

もう1つ重大なポイントとして**「伝える層が変われば、刺さる記事も変わる」**という事実があります。

1つのテーマで記事を書くとしても、次のようにかなり細かくターゲットを分けることができます。

- **男性相手？　女性相手？**
- **年齢は？　小中学生？　社会人？　お年寄り？**
- **職種は？　そもそも働いている？　主婦？**

例えば漫画ブログをやろうと思っていたときに、先輩に年間1万冊の漫画を読んでいる漫画博士みたいなブロガーがいたとします。

でも、自分がアラサーの女性で漫画好きだったら、「アラサーの女性向けのおすすめ漫画記事」はその人よりも喜ばれるものが書けるかもしれません。

自分がサッカー部で漫画好きの高校生男子だったら、「高校生男子向けのおすすめサッカー漫画」なら、その人より喜ばれるものが書けるかもしれません。

自分が60歳で最近漫画にハマったのなら、「60代からでも楽しめるおすすめの漫画」なら、その人より喜ばれるものが書けるかもしれません。

このように、伝える層が変われば、刺さる記事も変わってきます。

図4-16　玄人よりもあなたに共感するターゲットがいる

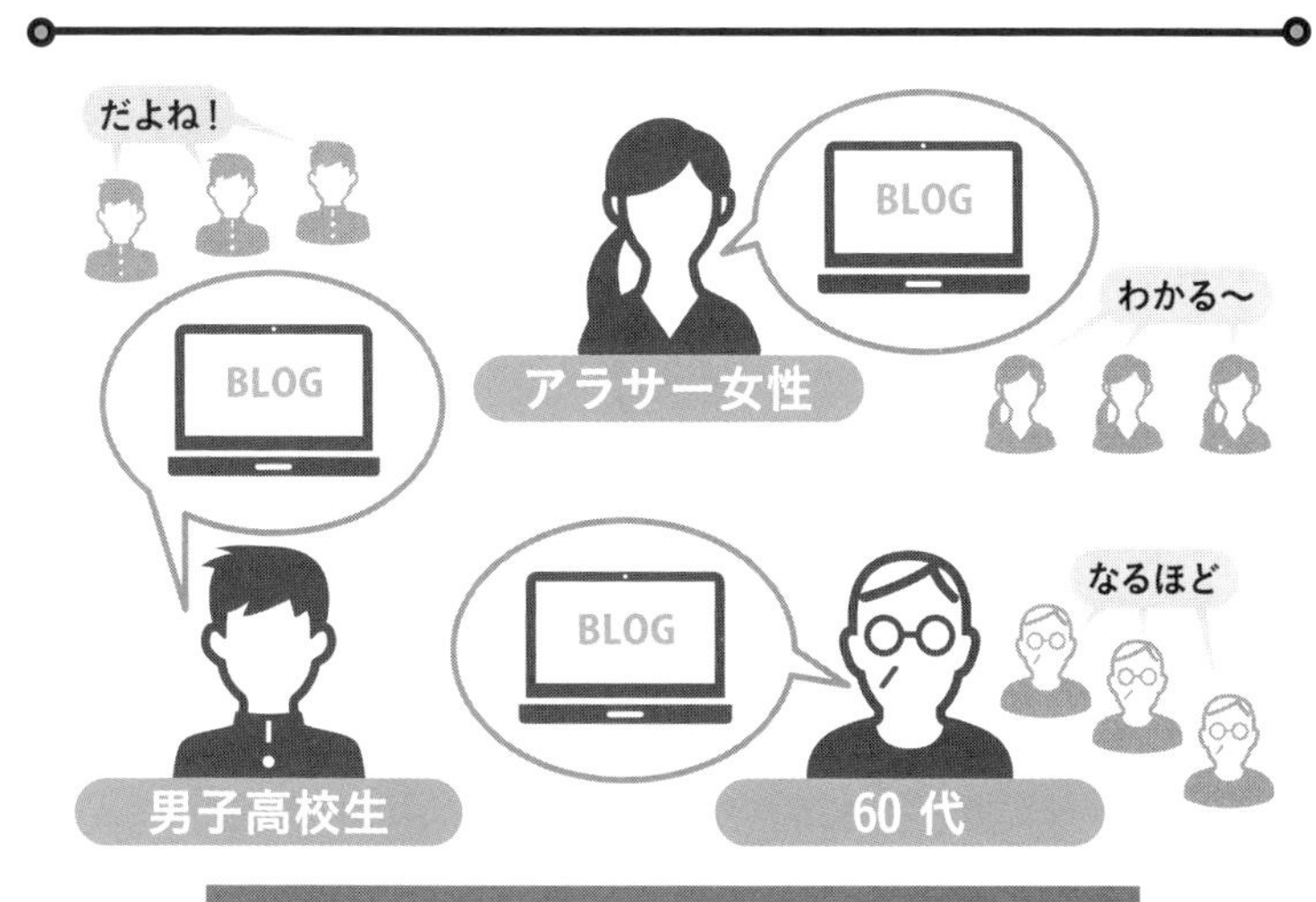

自分に近い層向けに書けば、刺さる記事になりやすい

プロがプロ志望の人に教えるなら話は違いますが、自分の記事を読むであろう読者のことを想像すれば、プロよりもあなたのほうが、より初心者の心に寄り添った親身な記事を書くことができますよ。

自分より詳しい、玄人の方でも、全てのジャンルをカバーすることは不可能です。胸を張って書きましょう。

4-17

時短

ブログ運営を向上させる情報の探し方

ゆるポイント1 多くのテクニック情報を集める必要はない

ゆるポイント2 参考にする人は3人いれば十分

ブログに関する情報収集で重要なポイントは「多くの情報を見すぎない」ことです。なぜなら、ブログ運営には明確な「正解」がないため、本当に多くの方が「自分なりに上手くいった方法」を発信しているからです。

情報のつまみ食いをしない

さまざまな人の、さまざまな部分をつまみ食いしても、間違いなく上手くいきません。

Aさんは「記事を毎日書く必要はないよ。その代わり3日に1本渾身の記事を書こう」といっていて、Bさんは「質なんていらないよ。適当な記事でもいいから毎日書こう」といっているとします。

ここで、両者のいいとこ取りをして「3日に1本しか投稿しないけど、まだ質はいらないから適当に書こう」などと決めてしまう人がいます。極端な例ですが、同じようなことをしている人は多くいますし、やはりそういう人は上手くいきません。

メンターの探し方と使い方

このような状況に陥らないために、まずは情報源とするメンターを絞りましょう。多くても2、3人程度で十分です。特に初心者のうちは、その人たち以外の情報を遮断してもいいと思います（ただし、何か売りつけられそうなときや、怪しい話をしはじめたら別の人に切り替えましょう）。

メインで学ぶ人を決めたら、その人が発信しているコンテンツを片っ端からチェックしていきます。**1つの記事や動画単位ではなく、発信内容を通して見ていくことが非常に重要です。**そうすると、その人がいっていることの意図が、より深く理解でき、結果として情報収集も捗るようになっていきます。

Column 4

月100万円達成。トレンドの力

僕がはじめて「月100万円」稼いだときの話をします。このとき何が起こったかというと、ズバリ「トレンド」をつかみました。当時爆発的に流行っていた映画の感想記事を書いたところ、多くのアクセスがありました。「映画の感想って、アクセスがあっても案件がないから収益にならないんだよなぁ〜」と思いつつ、何とかできないかと模索している中で「もしかしたら、原作の漫画が読めるアプリの案件のリンクを張ったらいいのでは？」と思いつきました。実際に張ってみたところ、これが大正解。単価400円のアプリ広告がものすごくダウンロードされて、数日で1000件以上の成果になりました。

もちろん「そんなの運じゃないか」といわれると、正直その通りな部分もあります。でも、このときに**運をつかむためには行動がいる**ことを学びました。「どうせ勝てない」と思わず、流行りものの記事を書いてみる。「どうせ案件はない」と思わず、何かないか考え続けてみる。もちろん無駄に終わったことも何度もありますが、このときのように大当たりすることもありました。

失敗や、行動が無駄になるのはとても怖いです。しかし、それでも頭を働かせ、手を動かし続けられる人が、最終的には上手くいくのかもしれません。

第5章

ブログのアクセスを増やすにはどうすればいい?

アクセスキー 5
(数字のご)

5-1

基礎知識

SEO対策を知ろう。そもそもSEOって何？

ゆるポイント1　SEO対策をしていれば勝手に人が集まる

ゆるポイント2　検索で上位表示される

ブログのアクセス数アップを狙うときに、避けては通れないのがＳＥＯです。ＳＥＯとはSearch Engine Optimizationの略で、直訳すると「検索エンジン最適化」という意味です。

もう少し、初心者の方でもわかるように「ＳＥＯ対策」について解説し、同時に「最低限これだけはやろう」ということを教えていきます。

ＳＥＯ対策はなぜ必要？

ＳＥＯ対策は、簡単にいってしまうと「検索エンジンで上位表示するための方法」です。

皆さんも、調べたいことがあったと

きにグーグルやヤフーといった検索エンジンを使うと思います。

例えば、名古屋に住んでいる方が脱毛に行きたいと思ったら「脱毛 名古屋 おすすめ」なんて調べたりします。そのときに、1位に自分の書いたブログ記事があったら、多くの人がその記事を読みます。そして、その記事から脱毛のサービスへ申し込む人もいるでしょう。

つまり、検索で上位表示されれば、何もしなくても多くの人がブログを訪れてくれます。検索エンジンを使う人はとても多いので、1日に何百人、何千人もきてくれることも珍しくありません。僕は、昔「アニメ おすすめ」というキーワードで1位に表示されていましたが、その記事だけで最高で月間20万人が訪れたこともあります。

もちろん、たくさんの人がくる検索キーワードもあれば、そうではないものもありますし、SEO以外にもブログに人を呼ぶ方法はあるのですが、「検索エンジンからの流入」のインパクトは圧倒的に大きいです。あえてここを無視する道理はありません。

SEO対策の超基本的な考え方

では、どうすれば検索上位になれるでしょうか？

ここを知るためには「検索エンジン」の視点で考える必要があります（ちなみにSEO対策には明確な「正解」はありません。万が一「自分はどんなキーワードでも上位表示できる「正解」を知っている」という人がいれば、その人は超天才&超大金持ちです）。

ここでは検索エンジン＝グーグルという前提でお話をしていきます。というのも、日本人はグーグルとヤフーを使っている人が全体の9割です。そして、ヤフーはグーグルと同じ仕組みの検索エンジンを使っています。つまり「SEO対策」＝「グーグルで上位表示する方法」になります。

では、ここからがSEO対策の考え方です。グーグルは「良いコンテンツ」を上位表示したいと考えて仕組みをつくっています。「悪いコンテンツ」を上位表示する検索エンジンではユーザーは減り、グーグルもお金儲けができなくなるからです。

図5-1　悪いコンテンツと良いコンテンツの例

良いコンテンツって何？

「良いコンテンツ」については、検索結果の上位の記事で、「自分の悩みが解決する」ことが重要です。そもそも、困ったことがあって検索して1位〜3位の記事を読んだのに、一切解決しなかったら、そんな検索エンジンは誰も使いません。

グーグルは「検索した人の悩みが解決する記事」を求めているといえるでしょう。細かいテクニックは数あれど、僕はこれがSEOの本質的な部分だと思います。

5-2

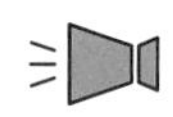

集客　売上アップ

良いコンテンツにするための2つのSEO対策

ゆるポイント1　**難しいグーグル対策より、人間対策のほうが大事**

ゆるポイント2　**グーグルアップデートもあまり怖くない**

SEO対策には、「対人間」の対策と「対機械（グーグル）」という2種類の対策があります。

対人間（ユーザー）の対策

1つ目は、人間に「この記事いいな」と思ってもらうための対策です。

具体的にいうと、検索したワードに対して、次のように考えていきます。

- **必要な情報が全部入っているか**
- **必要な情報にたどり着きやすいか**
- **ストレスなく読むことができるか**

いわゆる「記事のクオリティ」を追求するのはすべてこのためです。ただおしゃれにするのではなく、「読者が検索した悩みを、わかりやすく解決できるか」という部分を追求するのがポイントです。

対機械（グーグル）の対策

少し難しいのですが、こちらも無視できません。なぜなら検索順位を決めるのは他でもない「グーグル」だからです。当然、グーグルの社員が1つずつ、「よし！この記事は良い記事だから1位！」と人力で決めていくわけではありません。

ロボットに学習させて検索結果を自動で並べ替えています。つまり、2つ目は、グーグル（のロボット）が「検索した人が満足できる記事かどうか」をどのように認識するかを考えるのが、「対機械（グーグル）」のSEO対策になります。

どんなに読者にとって良い記事でも、グーグルがそれを認識してくれなかったら意味がない！ということです。ではどこで判断しているのかと聞かれると、簡単に答えることはできません（明確に「ここを見ているよ！」というと、その隙をついて、ズルをして突破する人が現れるため）。判断にはとても多くの要素がありますが、個人的に「明らかにこれは見てるよね」と思うのは、次のような記事です。

・最後まで読まれている記事（長く滞在されている記事）

・読んだ後に、検索画面に戻らない記事
・たくさん他のサイトからリンクされている記事
・たくさんSNSでシェアされている記事

具体的にすべきことは、次節から紹介していきます。

ホワイトハットSEOとブラックハットSEO

最初に説明した、ユーザーを見てコンテンツをつくる手法はホワイトハットSEOと呼ばれます。「コンテンツSEO」も、こちらに分類されます。ほとんどのブロガーは無意識にこちらのSEO対策をしています。

逆にブラックハットSEOは、グーグルに100%目を向ける手法です。グーグルの弱点をついて「良いコンテンツ」だと誤解させる技みたいなものですね。

・1000個ブログをつくって、自分の記事へリンクを張ることで「この記事人気!」と誤解させる
・人気のあったドメインを購入して、今もそこが運営しているように見せかける

図5-2　ホワイトハットSEOとブラックハットSEO

ホワイトハットSEO

ユーザーを見てコンテンツをつくる手法

・他のコンテンツにない役立つ情報がある
・目次があるから読みたいところにいける
・誤字脱字がなく、読みやすい

「検索品質評価ガイドライン」にグーグルの考える良い記事の指標が載っている！

ブラックハットSEO

グーグルに100%目を向ける手法

・たくさんのブログからリンクを張る
・人気のあったドメインを購入して運営する

昔はいわゆるスパム的な手法で、グーグルに「俺の記事、超大人気だよ！」と騙すのが効果的でしたが、グーグルは日々進化しています。

ブラックハットSEOは、ラクして稼げる手法ではありません。高度な知識やまとまった初期費用が必要です。そうして手間をかけても、グーグルにすぐ対策されてしまいます。グーグルだってできる限り、ユーザーにとって満足度の高い記事を上位表示したいと考えています。

もちろん妄信してはダメですが、**グーグルばかり見るのではなく、ユーザーを見て考えるほうがよっぽど健全です。**

5-3

時短
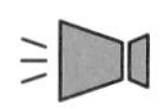
集客

売上アップ

人が集まるキーワードの考え方

ゆるポイント1 キーワードはツールでラクに設定できる

ゆるポイント2 稼げるキーワードがある

ここまでキーワードで検索した人の悩みを解決する記事を書こうとお伝えしましたが、そもそも「キーワードをどう決めるのか」という部分についてお話しします。これも「対人間」「対グーグル」でそれぞれ考えるとわかりやすいです。

対人間のキーワードの考え方

これに関してはシンプルで、自分の書きたい記事は「どんなキーワードで検索した人に喜ばれそうか」もしくは「どんなワードで検索した人に、自分のサイトにきてほしいか」という部分から考えていきましょう。

正直キーワード選びは慣れの部分があるので、はじめのうちは「対グーグル」で紹介する洗い出し方を参考にしたほうがわかりやすいです。

対グーグルのキーワードの考え方

どんなに頭を働かせてキーワードを決めて記事を書いても、それがグーグルで検索されていなければ意味がありません。

そこで使うのが、「キーワードプランナー」「ラッコキーワードツール」といったツールです。 どちらでも使いやすいほうでOKです。これらのツールに、自分のサイトのメインテーマのキーワードを入れてみます。するとズラっと一覧ででてくるので、その中から書きたいものを探します。でてくるのは実際に検索されているキーワードなので、少なからず需要があります。

ただ、注意点として、**「ツールに入れてでてきたキーワードを片っ端から書く」という方法は時間の無駄なのでおすすめしません。** あくまで、自分のブログを読みにきてくれる読者に必要な記事を書いて、その読者が自分の記事にたどり着くために必要なキーワードを選んでいくのがおすすめです。

そのため、**まずは思いつくキーワードを自分で考える↓ツールでチェックして、「あ！これもいい！」というキーワードがないかチェックする、**という方法がおすすめです。

必ず押さえておくべき「稼げるキーワード」

実はツール以前に**「これで上位を取ったら稼げる」というキーワードがあります。**

次のような記事です。

- **商標（商品名）＋評判（感想、口コミなど）**
- **ジャンル名＋おすすめ（ランキング、比較など）**

これらはとりあえず書いておいて損はありません。これらは上位を取ったら儲かるというキーワードで、ある程度ブログをやっている人の中では常識なので、ライバルもかなり強いことが多いです。

しかし、SEOで直接上位を取れなくても、別の記事からアクセスを流すことができます。そのための記事を積み上げていくのは、収益化の基本的な考え方になります。

図5-3　転職サイトのアフィリエイトを発生させたい場合

❶ 「転職サイトおすすめランキング」をとりあえず書く

転職サイト
おすすめ
ランキング

❷ 転職したそうな人が検索しそうなキーワードを見つけて新しい記事を書いていく

キーワード例：「年収上げたい」「営業転職」「仕事辞めたい」など

年収を上げる3つの方法	営業の転職に強い転職サイト10選	仕事を辞める前にすべきこと

❸ ❷の記事から、❶の記事へリンクを張ってアクセスを流す

転職サイト おすすめ ランキング ← 年収を上げる3つの方法 / 営業の転職に強い転職サイト10選 / 仕事を辞める前にすべきこと

❶の記事に興味がありそうな人を集めることができるよ！

※例で書いたキーワードや方法はあくまで例です。このままマネすれば儲かる！ というものではないのでご注意ください。

5-4

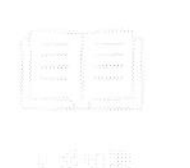

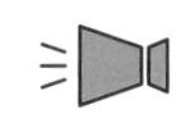

収益化に欠かせない「被リンク」を増やすテクニック

ゆるポイント1 アンケートや取材などの手間をかけなくても人気はだせる

ゆるポイント2 好きな会社にアプローチできる

SEO対策を考える際、絶対に外せない項目が被リンクです。被リンクとは、文字通り、自分のブログにリンクを張られることをいいます。この被リンクはSEO対策の中で「最重要」ともいわれ、僕自身もかなり重要視しています。

なぜなら、グーグルから見れば「リンクを張られるブログ＝紹介したくなるほど良いブログ」と判断され、上位表示の参考材料の1つになるからです。人気投票のようなイメージですね。

もちろん被リンクはあくまで要素の1つですし、数さえあればいいものでもないですが、「リンクを得るための施策」は必ず意識する必要があります。

リンクを張りたくなる記事を書く

まずは前提として、「リンクを張りたくなる記事」とはどんな記事かを考えます。

- **一次情報で、他の記事には書いていないことが書いてある記事**
- **手間をかけてつくってある役に立つ記事**

が挙げられます。手間をかけて独自でアンケートを集めたり、取材をしたりすると

こういった記事をつくりやすいです。

とはいえ、実際問題これはハードルが高いですし、必ずしもリンクが集まるわけではありません。あくまでこれは前提として覚えておいてください。

被リンクを増やすためのテクニック

こういった「良い記事」を書いて、被リンクが集まるのを待つ方法は正攻法ですが、それだけだとなかなかリンクは集まりません。ではどうするのかというと、**自分からリンクを集めるアクションを起こしていく必要があります**。具体的には、次のように

さまざまな方法があります。

- **登録することでリンクになるサービスに登録する**
- **近いジャンルのブログの担当者に声をかけて寄稿する**
- **イベントを主催して、参加者からリンクをもらう**
- **紹介している商品の広告主に、「このブログで紹介していただきました」とリンクを張ってくれないか営業してみる**
- **インタビューを行い、そのインタビュー相手から「このブログで紹介していただきました」とリンクを張ってもらう**

もちろんいきなり全部はできませんが、「良いコンテンツをつくる」と同時に「自分のブログにリンクを張ってもらえないか」というアンテナは、常に立てておくようにしましょう。自分の好きな会社にアプローチすれば、リンクももらえる上に好きな会社に関われるので最高ですね。

図5-4　ブログのリンクを張れるサイト

各種SNS

例：ツイッター、インスタグラム、フェイスブック、ユーチューブなど

自己紹介サービス

例：lit.link（リットリンク）、Linktree、HTML（名刺、ペライチ）

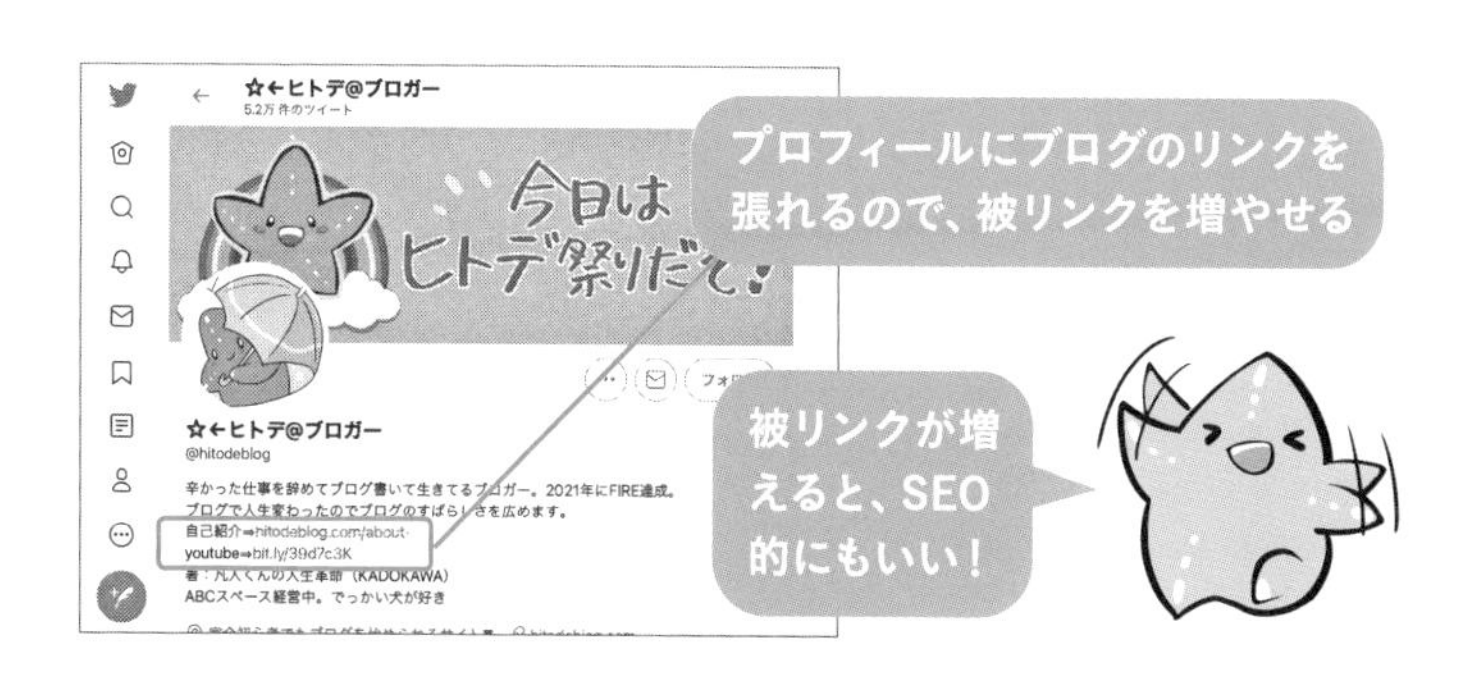

被リンクが増える → ブログへの流入数が増える ＋ グーグル検索の評価が上がる

パターン1

お互いに記事を寄稿し合いたい旨を伝える（相手も被リンクが増えるというメリットがある）

パターン2

自分のブログで相手のメディアを紹介するので、相手のメディア内でもその記事を紹介してほしいと伝える

パターン3

取材（インタビュー）をさせてほしい、その取材記事をメディア内で取り上げてほしいと伝える

5-5

集客

売上アップ

適切な記事の分量はどれくらい？

ゆるポイント1　**無理してたくさん書く必要はない**

ゆるポイント2　**文字数よりも伝えたいことを書こう**

「ブログ記事は最低何文字書いたらいいの？」と疑問に思う方は多いと思いますが、**文字数は全く重要ではありません。**その理由を解説していきます。

ブログの理想の文字数は？

極端な話、読者の悩みが解決できるのであれば、100文字でも10文字でもOKです。文字数ばかり気にする人は、手段と目的が入れ替わってしまっています。あくまで記事の目的は「読んだ人の悩みや疑問を解決すること」で、文字数はその結果でしかありません。

しかし上位の記事は長文が多い

とはいえ、実際には数百文字の記事が検索結果の上位に表示されることはほぼありません。短くても2000文字以上、長いと数万文字もあります。

その理由として、「網羅性」があげられます。簡単に説明すると「調べた人が疑問に思うことについて、網羅的に書いてあると良い記事」という1つの基準です。**「網羅性」を重視するのであれば、内容は充実していればしているほど良い記事です**し、網羅的に書こうとするとどうしても文字数が増えてしまいます。

ただし、「網羅的に書いた結果、長文になって評価されている」のであり、「長文だから順位が上がった」わけではありません。水増しして書くのはやめましょう。

とはいえ基準がほしいという人へ

文字数は関係ないのですが、「どうしても基準がほしい！」という初心者の方は「最低2000文字以上」を1つの基準にしてみてください。ただ何度もお伝えした通り、文字数で上位は狙えないので、あくまで1つの目安程度と捉えてください。

5-6

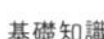
基礎知識

グーグルアップデートと、その対策

ゆるポイント1 上位がいなくなるので、初心者にはチャンス

ゆるポイント2 グーグルの検索上位にならなくても他に方法がある

グーグルアップデートとは？

グーグルはロボットで自動的に順位を決めているという話をしましたが、そのロボットの仕組みを変更することを「アップデート」といいます。仕組みが変更されるので、ほとんどの場合で検索順位が大きく変わります。

たまにツイッターなどのSNSでブロガーが、「アプデきた！」「うごー！」みたいにいっているのが、このグーグルアップデートのことを指しています。

かつては数年に1回だったのが、近年では年に3回も4回もあるので、上位にいる人からするとたまったものではないですね。

アップデートに怯えているブロガーは多いですが、ぶっちゃけ初心者には関係ありません。なぜなら落ちる記事がないからです。**むしろ上位が動いてくれるので、初心者にとってはチャンスです。**ただし、自分が上位を取れたときに、はじめてその「落ちる恐怖」がわかります。

グーグルアップデートへの対策

正直にいえば「これだけしておけば絶対アップデートの影響は受けない」という対策はありません。これは、僕が知らないというより、おそらくグーグルの社員であってもその方法を知っている人はいないでしょう。グーグルのアルゴリズムは非常に複雑で、かつ定期的にアップデートされているからです。

では、何も打つ手がないのかというと、そうではありません。**個人的に、大きなリスクヘッジになると思っているのが「SNS」と「指名検索」です。**これは、「グーグルのアルゴリズム対策をしよう」ということではなく、「グーグルがなくても集客できるようになろう」という意味での対策になります。次節から詳しく見ていきます。

5-7

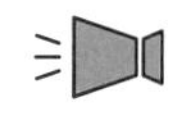

集客　売上アップ

流入経路を「SEO」に頼り切るのは危険！

ゆるポイント1　複数の流入経路で安定性アップ

ゆるポイント2　SNS、指名検索で収入の安定性アップ

今までは、ブログへの流入源といえば、まず考えるべきなのがSEO、つまり「検索からの流入」でした。実際今でもSEOは非常に重要なのですが、アップデートのことを考えると、どうしても不安定になってしまいます。

そこで視点を変えて、「いかにしてアップデートを乗り切るか」と考えるのではなく**「SEO以外の流入経路を得られないか」という方向に視点を向けてみましょう。**

マルチチャネルで考える

ここででてくるのが「マルチチャネ

ル」という考え方です。あまり聞いたことのない言葉かもしれませんが、「チャネル」というのは「集客する媒体、経路」のことを指します。つまり「SEO」以外でも、ブログに人を集める方法を模索していこう、ということです。

具体的には、ツイッター、インスタグラム、フェイスブック、ユーチューブというような各種SNSは経路の1つとして優秀です。自分自身にフォロワーが増えていくことによって、より安定性も増していきます。SNSについて詳しくは、第7章からお話ししていきます。

またSNS以外でも、先ほどお話しした「指名検索」や、ブックマーク（お気に入り）などからの「直接流入」もチャネルの1つになります。

SEO一本で集客を成り立たせるのではなく、「検索上位にいなくても、人が読みにきてくれるブログをつくる」ことこそが、安定したブログ運営のカギになっていきます。これは一朝一夕でできることではありませんが、コツコツと積み上げていくと非常に安定した土台になっていきます。SNSはブログよりも発信のハードルが低いです。できる範囲で構いませんので、少しずつやっていきましょう。

5-8

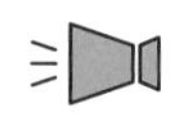

ファンを増やして「指名検索」を目指す

ゆるポイント1 「指名検索」が増えると安定感アップ

ゆるポイント2 アップデートにも負けなくなる

検索流入は爆発力が大きい反面、アップデートの影響もあり不安定です。昔のように「グーグルで上位表示する方法」だけを考えても、今は上手くいきません。

ブログ運営で大切なのは「自分自身（もしくは自分のブログ）のファンを増やすこと」です。もし、読者があなた自身のファンになってくれれば、あなたのブログがたとえ検索の上位になくても、読者は探しだして読みにきてくれます。これが「指名検索」です。

つまり、お悩みのキーワードではなく、**自分のブログ名や、名前を入れて検索してくれることを「指名検索」と**

いいます。僕ヒトデで具体例をだすと、「hitodeblog」とブログ名で検索して読みにきてくれる人や「ブログの始め方　ヒトデ」といった感じで、キーワードに僕のハンドルネームを足して検索してくれるような状態ですね。

もちろんこのように検索されるまでには時間がかかりますが、ここがしっかりしていると、アップデートに怯えることなく、安定したブログ運営が可能です。

重要なのは「○○といえば自分」という状態になること

自分やブログのファンになってもらうために「○○といえば自分」と思ってもらえるように意識してブログを書きましょう。「ファン」というと、外見の良さや、トークの面白さでつくようなイメージがあるかもしれませんが、ブログの場合は違います。**特定のジャンルに関して「この人のブログを見れば大丈夫!(この人に質問したら大丈夫!)」と、多くの人に思ってもらうことこそ重要です。**

僕の場合は「ブログといえばヒトデ」と思ってもらうことを目指して発信してきました。今でこそ本をだせるくらいに浸透していますが、もちろんはじめからそうだったわけではありません。具体的な方法は第7章4節で解説していきます。

Column 5

複数ブログ運営の罠

初心者の方がなぜかしてしまい、ほぼ100%失敗する行動に「複数ブログの運営」があります。ここまで本書を読んだ方はおわかりの通り、ブログで十分に稼げるようになるまでには、それなりの手間がかかります(その分ストック収入なので、だんだんとラクにはなりますけどね)。

それなのに、さらに2つ3つと同時に運営しても、100%上手くいきません。これは断言できます。とはいえ、「でも、たくさん発信したいことがある！」「雑記と特化で分けたい！」などと思う人もいると思います。そんなときは「まず、1つに集中する」ことを意識してください。2つ目のブログに手をだすのは「1つ目のブログが上手くいったとき」、または「1つ目のブログを完全に諦めるとき」のどちらかです。

いずれにせよ、**2つ目のブログは「強くてニューゲーム」ではじめることを意識してください。**自分がレベルアップした状態で新しくはじめるブログは、はじめてブログを立ち上げたときよりも、遥かに良いものがつくれます。逆にいうと、その状態でないなら、まだ2つ目は早いということです。「弱くてニューゲーム」を繰り返してしまうのは初心者あるあるです。まずは今のブログで、確実にレベルアップをしましょう。

第6章

収益を増やすにはどうすればいい？

アクセスキー　a（小文字のエイ）

6-1

これだけ！ ブログで稼ぐためのたった1つのコツ

ゆるポイント1 困ったときは「読者目線」でほぼ解決できる

ゆるポイント2 意識するだけでOK

ブログで稼ぎたい！と思ったときに本当に重要なコツが1つだけあります。先に結論をいってしまうと、**「読者の目線に立つこと」**です。

おそらく、すでに稼いでいるブロガーなら、ほとんどの人が同意してくれると思います。今後のブログ運営に関わってくる重要なポイントなので、ぜひここで理解しておきましょう。

「読者の目線に立つ」ということ

そもそも、なぜ読者はブログ記事を読むのかというと、その記事を読むことで「何か役に立つかも」「この悩みを解決できるかも」と思っているからです。逆にいうと、自分の役に立たない記事や、悩みが解決できない記事は読まない、ということです。

つまり、**稼ぎたいのであれば、「自分が書きたいこと」ではなく「読者が知りたいこと」を書いていく必要があります**。もちろんこれは「我慢してそう書け!」という話ではなく、あくまで「自分が書きたいジャンルで、読者の悩みや知りたいことを盛り込んで記事を書こう」という意味です。

「読者目線」を持つと、ブログの悩みは解決する

もしも今後、ブログで悩むことがあったら「読者目線」で考えることをおすすめします。例えば具体例として、僕はよく「この記事、アフィリエイトのリンク張りすぎですか?」と質問を受けることがありますが、これも結局「読者の目線で」多いのか少ないのかを見ていくとわかりやすいです。

もしかしたら、バナーリンクがバンバン入っていると、読む際の妨げになりそうだな、とか。テキストのリンクだったら邪魔じゃないし、読みたい人だけクリックするだろうから、ちょっと多くてもいいかもな、とか。逆に、「読者がほしい」と思ったタ

イミングでリンクがないと、不便だし、離脱に繋がっちゃうなとか。「自分が読者だったらどう思うのか」という目線で見ていくことが最重要ポイントです。

読者目線を磨くとどう変わる？

ここまでの話で、初心者の方の中には「何か難しそうかも……」と思った人もいるでしょう。事実として、今までやってこなかった人は慣れるまで時間がかかるかもしれませんが、今日からでも図のように意識していけば、確実に読者目線は養われます。

読者目線を磨けば磨くほど、「あなたの記事はより誰かの役に立つようになり、もっと読みやすくなり、その結果ＰＶや収益も間違いなく増えていきます。でも、ここを無視したまま進めてしまうと、人の役に立たず、読みにくく、もちろん結果もでない……と三重苦の状態になってしまいます。

ブログで収益化をしたい人が、はじめに最も意識すべきポイントです。そして、何よりも**この「読者目線」は、意識するだけでOKなのです。**

小難しい知識も、多大な勉強も、すごい幸運も一切必要ありません。ぜひ、今後のブログ運営に「読者目線」を取り入れていってください。

図6-1　読者目線で解決するブログのお悩み例

1つの記事に張るアフィリエイトのリンクの数は？

広告バナーたくさん張って
クリックさせよう

自分目線

テキストリンクだったら
邪魔しないかな

読者目線

できるだけ単価の高い商品を紹介したほうがいいの？

とにかく値段順に
おすすめしよう

自分目線

「こんな人にはこれがおすす
め」というように、人によって
紹介する商品を分けよう

読者目線

ブログは何文字書けばいいの？

2,000文字以上書かないといけないら
しいから、とにかく文字を増やそう

自分目線

悩みを全部解決できるように
書こう（文字数は気にしない）

読者目線

6-2

センス不要

初心者でも ラクラク商品を売る方法

ゆるポイント1　アマゾンや楽天は超売りやすい

ゆるポイント2　楽天は審査に通りやすく、すぐにはじめられる

初心者の方が商品を売りたい場合、まずおすすめなのが「Amazonアソシエイト」と「楽天アフィリエイト」を利用することです。

皆知っているアマゾンと楽天のアフィリエイトです。

あなたの記事にアマゾンや楽天のリンクを張って、それをクリックした人が商品を買うと、売上の数%が報酬になるというシステムです。

楽天とアマゾンのアフィリエイトのメリット

数%なので、金額はかなり小さいですが（例えば1万円のモノを売っても

3％だったら300円）、アマゾンや楽天のアフィリエイトには大きなメリットがあります。

- **あらゆる商品があるので、実際に使ったことのある商品を紹介できる**
- **アマゾン（楽天）の知名度から安心して購入されやすい**
- **アマゾン（楽天）のアカウントを持っている人が多いので購入ハードルが低い**
- **クリックさえしてくれれば、自分が紹介した商品でなくても報酬がもらえる**
- **定期的にセールがあり、訴求がしやすい**

このように、普通のアフィリエイト広告と比べて非常に商品を売りやすいです。**特に、品数が豊富であることと、すでに皆が使っているハードルの低さは、他のアフィリエイト広告にはない絶対的なメリットです。**

報酬の料率が低い！と思う人もいるかもしれませんが、どちらにせよ商品が売れなければ、1％だろうと50％だろうと同じことです。もちろん、最終的にはアマゾンや楽天以外でも売れるようになっていく必要がありますが、まずは比較的難易度の低いアマゾンや楽天で「商品を売ること」に慣れていきましょう。

商品掲載には審査あり

アマゾンや楽天には、商品をブログに掲載する前にブログの審査があります。まずは、アマゾンよりも審査に通りやすい楽天からスタートしてみましょう。ちなみにASPの「もしもアフィリエイト」を経由して審査を行うことで、通常よりも審査に通りやすくなるので、どうしても審査に通らない方は試してみてください。

自分が本当におすすめできる商品を売る

アマゾンや楽天で商品を売るといいことはわかったけれど、「何を売ればいいの?」という人には「自分が熱意を持って、本当におすすめできるものを紹介しよう」といつもいっています。

その商品に対する熱意というのは、自分が思っている以上に読者に伝わります。そして、本当に好きな商品だからこそ、実際に使い続けているからこそ書ける紹介文が必ずあります。**ぜひ、友だちや家族におすすめするようなテンションで「これめっちゃいいよ!」という想いをぶつけてください。**

図6-2　アマゾンと楽天のアフィリエイト登録手順

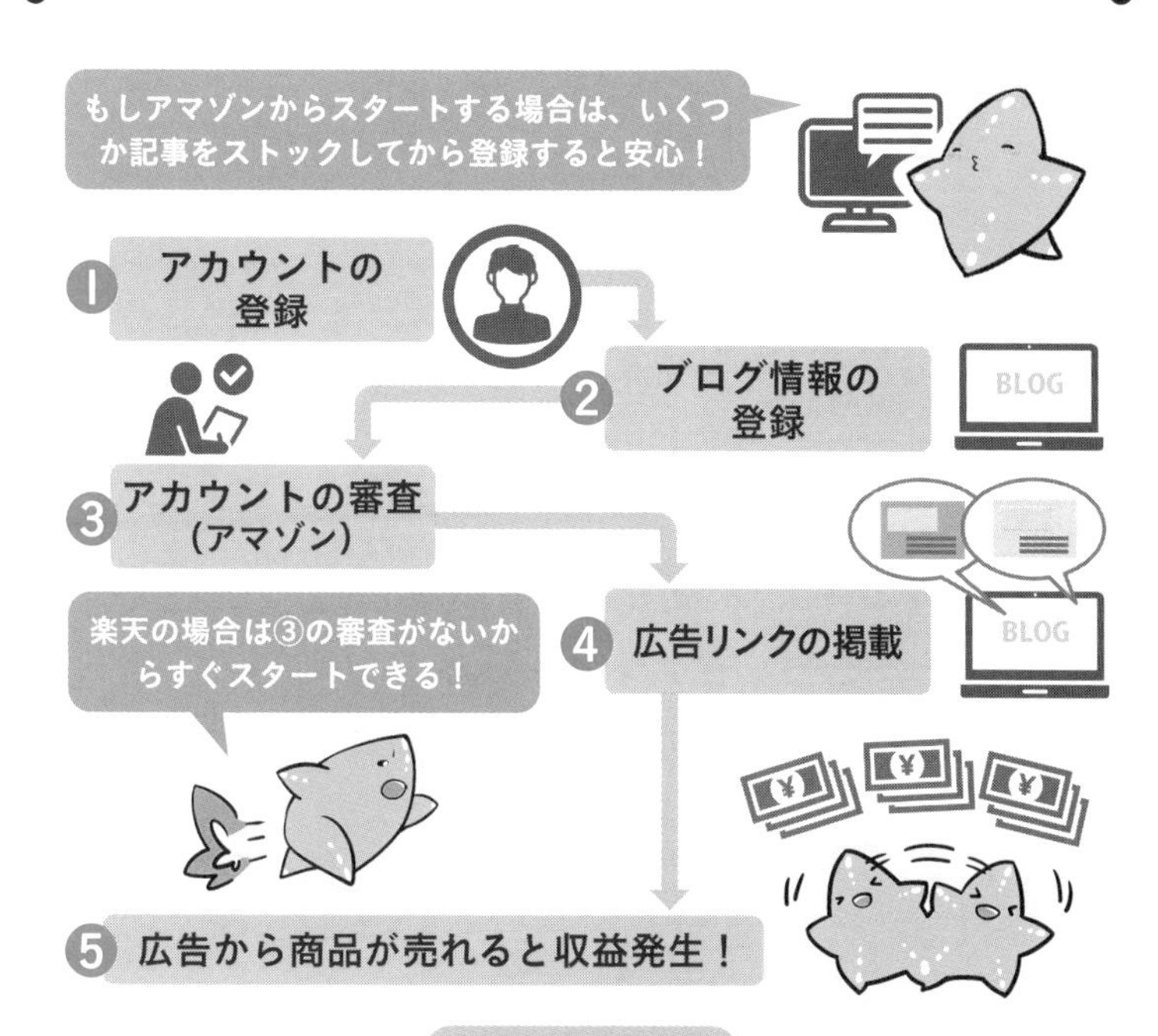

●収益の計算式

商品の価格×報酬料率○%×販売個数＝あなたに入る成果報酬

例：報酬料率10%の1万2,000円の商品を2個売り上げた場合、2,400円の成果報酬（ただし、アマゾンと楽天は1個あたりの上限があるので、2,000円になる）

具体的なアマゾンのアフィリエイト登録の操作手順はこちら

https://hitodeblog.com/amazon-hazimekata#Amazon-4

具体的な楽天のアフィリエイト登録の操作手順はこちら

https://hitodeblog.com/rakuten-sinsa#i-7

6-3

訪問者が商品を買いたくなる「ベネフィット」を知ろう

ゆるポイント1 「ベネフィット」で信じられないほど商品は売れる

ゆるポイント2 「何でそれを買ったか」を考えれば簡単にわかる

商品を売るために必要なマーケティングをいちから学ぶのはとても大変です。そこで、僕が数あるマーケティング知識の中で最も重視している「ベネフィット」について紹介します。ベネフィットを意識するだけで、本当に売れ行きが変わります。

商品を売るときに最重要な「ベネフィット」について

ベネフィットとは「顧客にとっての価値」を意味します。

例えば、ホームセンターにドリルを買いにくる人は、ドリルというモノがほしいわけではなく「ドリルによって開ける穴」がほしいだけ、というベネフィットを説明している有名な例があります。

このように、商品そのものではなく、その商品を使うことで得られる価値（未来）のことを「ベネフィット」といいます。さらに簡単に言い換えると、**要するに「商品を買う理由」が「ベネフィット」です。**

例えば「あなたのお気に入りの商品は、何で他の商品ではなくてそれなの？」と質問を投げかけると、ベネフィットについてよくわかります。

例えば僕は最近「ノイズキャンセリングイヤホン」を買いました。「ノイズキャンセリング機能で集中して仕事ができそう」「ワイヤレスだから、散歩のとき邪魔にならなそう」といろいろな「買う理由」があったのですが、これらは全部その商品を使うことで得られる価値、つまりベネフィットになります。

結局その「ベネフィット」をブログでどう活かすのか？

ブログで収益を得るためには「商品やサービスを紹介する記事」を書きます。その際にこの「ベネフィット」を取り入れると、読者は購買意欲をかき立てられ、商品を購入する確率がグッと上がります。

図で「ベネフィット」が伴っているレビュー記事の内容と、伴っていないレビュー記事の内容を見比べてみましょう。先ほどと同じく「ワイヤレスイヤホン」を例にして説明します。

図の上段は、ベネフィットが伴っていないレビューです。実際このようなレビュー記事を書く人は多いのではないでしょうか？ これらは全部「悪い例」です。

この例の何がダメかというと、「ただスペックを紹介しているだけ」だからです。例えば最初の「『高音質ノイズキャンセリングプロセッサー QN1e』を搭載していて、最高峰のノイキャン性能！」という文は、「スペックの紹介」です。

ここにベネフィットを加えると、図の下段のようになります。**「スペックの紹介」で終わらずに、そのスペックがあることで、購入するとどんないいこと（未来）があるのかを示してあげる**のがとても重要です。

これをするだけで、間違いなく購入してもらえる確率は上がります。これが、「その商品の価値」であり、つまり「ベネフィット」ということになります。

商品やサービスを紹介するときに、スペックで終わらず、その商品の「ベネフィット」を必ず添えるようにしましょう。

第6章

収益を増やすにはどうすればいい?

図6-3　ベネフィットを加えるとどうなる?

ベネフィットが伴っていないイヤホンのレビューの例

「高音質ノイズキャンセリングプロセッサー QNIe」を搭載していて、最高峰のノイキャン性能!

DSEEHX搭載で、完全ワイヤレスでもハイレゾ級の高音質です

見た目もカッコいい!

最長24時間再生可能なロングバッテリーです!

人間工学に基づいた素晴らしい装着性!

何の役に立つの?

ベネフィットが伴っているイヤホンのレビューの例

「高音質ノイズキャンセリングプロセッサー QNIe」を搭載していて、最高峰のノイキャン性能!

だから、周りの音を完全に遮断して、音楽に没頭できますよ

だから周りの音を一切気にせずに音楽を聴くと、心が洗われます

だから、集中力を乱すことなく、作業に集中できますよ

だから、ストレスを感じた日は、これで音楽を聴くと本当にリフレッシュされます

6-4

ブログの稼ぎ方は広告収入だけではない

ゆるポイント1 本業がある人は特に有利な稼ぎ方！

ゆるポイント2 インフルエンサーみたいな知名度はいらない

ブログで稼ぐ方法は広告やアフィリエイトだけではありません。

実はブログをやっていると、そういった「ブログそのもので稼ぐ」以外にも、「リアルの仕事に繋がる」といった稼ぎ方が生まれます。

「ブログを経由して直接仕事を取る」ということですね。具体的には次のようなものがあげられます。

- **本業への依頼**
- **他メディアでの記事執筆依頼**
- **商品、サービスのPR記事作成依頼**
- **取材の協力**

特に、自分の本業を持っている人は、

ブログを「営業装置」として掛け合わせると非常に強力です（イラスト付きのブログを発信しながら、イラストの依頼も受ける。素敵な写真を掲載したブログを書きながら、写真撮影の仕事を受けるなど）。

スキルや知名度は不要

しかし、結びつけられる本業を持っていなくても、依頼がくるケースは多分にあります。最も多いのはブログを読んでくれた人から「うちのメディアで記事を書いてください！」といわれることです。他のメディアで書くので、ブログそのものでお金は発生しませんが、依頼主から報酬を受け取ることができます。

「そんなの有名人だけでしょ？」と思った方もいるかもしれません。たしかに、はじめたばかりの状態ではこういった依頼がくることはほぼないです。しかし、いわゆる「有名人」というレベルまで知名度を上げなくても依頼はきます。

メディアの担当者は日々良いネタを探すために内容をきちんと見ているので、あなた自身やブログの知名度よりも、あなたの想いがブログで担当者に伝わることのほうが重要です。次節で、ブログをリアルの仕事に繋げる方法について紹介します。

6-5

ブログやSNSからリアルの仕事に繋げる6つのテク

ゆるポイント1 「お問い合わせ」があるだけで結構早く依頼がくるもの

ゆるポイント2 できそうなものだけ取り組めばOK!

ブログやSNSからリアルの仕事に繋げるテクニックを6つ紹介します。

①必ず「お問い合わせ」を設置する

メディアからの依頼は、ほぼ「ブログのお問い合わせ」からきます。

依頼がくる可能性があるので、「お問い合わせ」を設置しないのはもったいないです。**自分が思っている以上に早い段階から、企業から依頼がくる**からです。なお、設置には、お金やコストもかかりません（58ページで紹介したプラグインを使うと、簡単に設置できます）。

②憧れのメディアと同じジャンルの記事を執筆しておく

もし「将来、あのメディアでこんな記事が書きたいな」と、目指しているメディアやジャンルがあるとしたら、まずは自分のブログにそのメディアと同じジャンルの記事を書いてみましょう。ブログだって、いってみれば「自分が運営しているメディア」です。今すぐ憧れのメディアでは書けなくても、私なら「こんな記事を書けます」という実績をつくることができます。

例えば旅メディアで書きたいなら、これまでに行った旅先を自分なりに紹介する記事を書いてみる。本業の知識を活かして金融関係の記事が書きたいなら、まずはブログにわかりやすく書いてみる。**それを読んでくれた人から、「こんな記事が書けるなら、ぜひうちでも書きませんか？」と依頼がくる可能性が生まれます。**

③SNSで自分の世界観を統一する

3つ目のコツは、SNSでは自分の世界観を統一することです。特にインスタグラムではビジュアルがメインなので、**自分のタイムラインをはじめて見る人が、ひと目**

で**「この人は○○が好き（得意）なんだな」とわかるようにする**ことが大事です。例えば、「料理のレシピが知りたい」と思ってフォローしたのに、いつの間にかその人の自撮り写真や、おすすめのコスメばかり紹介されても、がっかりしませんか？

世界観や投稿内容を統一することで、それを見たメディアの人から「この人に料理の記事を書いてもらったらよさそう」と判断してもらえます。

これはその他のSNSでもブログでも基本は同じです。

SNSやブログの世界観が統一されていれば、その情報がほしい人はフォローしてくれて、読者になってくれる確率が高くなります。

ただ、特にはじめのうちはなかなか1つに絞れなかったり、ネタが尽きてしまったりすることもあるかもしれません。そんなときは、**メインのジャンルの投稿が、1番多くなるようにしてもらえれば、別ジャンルの投稿をしてもOKです。**

④ハッシュタグを活用する

特にインスタグラムで有効な手段なのですが、「商品やブランドのハッシュタグ」「企業やインフルエンサーのタグ付け」はぜひ活用しましょう。

図6-5-1　大事なテクニック①〜③

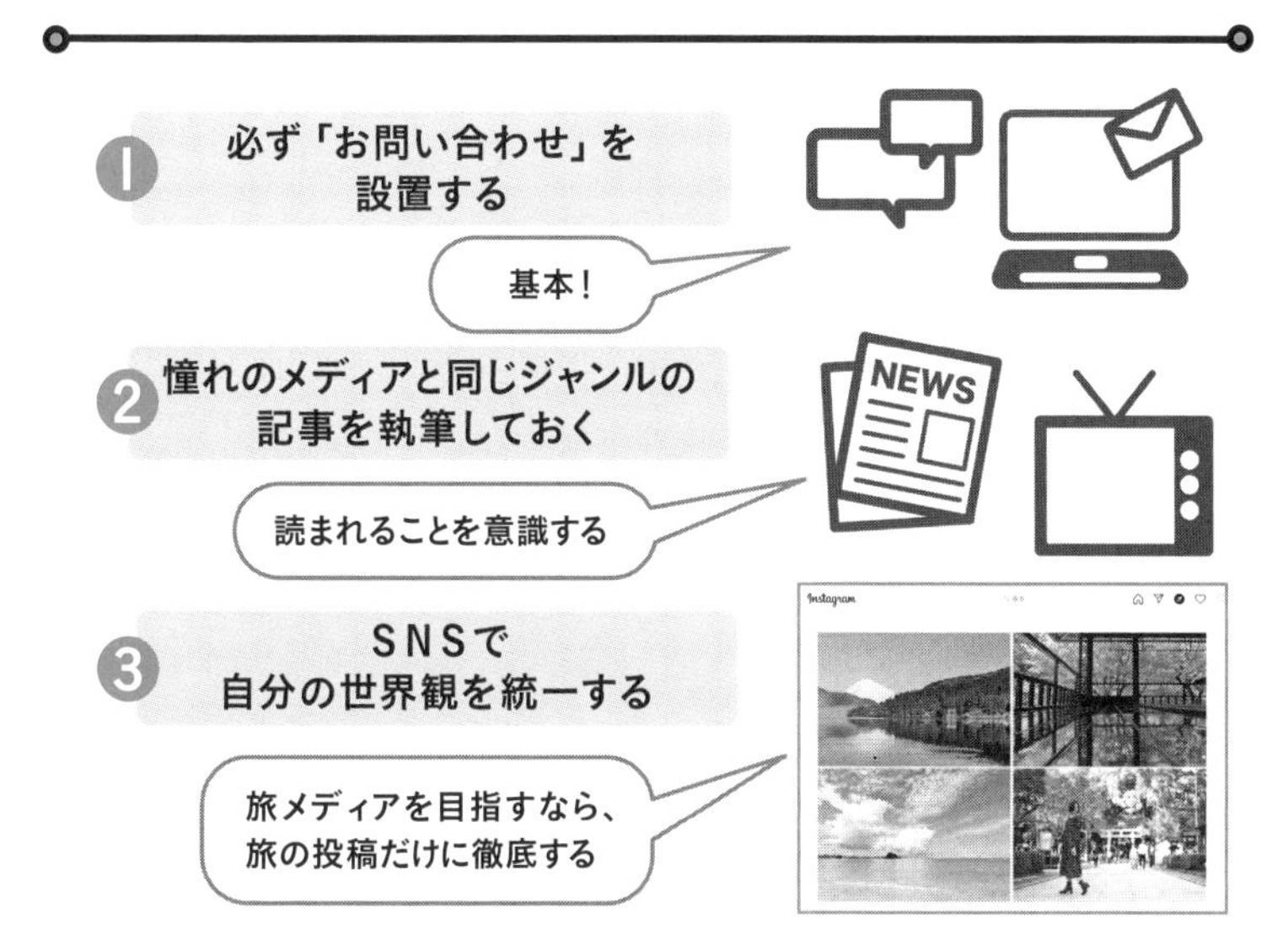

中でも投稿内容に関連する商品やブランド、企業などのハッシュタグがある場合は入れたほうがいいです。

例えば、ナイキの靴を履いた写真をアップしたなら、ナイキの公式アカウントをタグ付けし、ナイキのハッシュタグをつける、といった感じです。そうすることで、ナイキの公式アカウントで紹介されたり、ナイキの企業の方やスポーツ関連のメディアなどから仕事に繋がる連絡がきたりする可能性が高まります。

メディアの担当者は、ハッシュタグから素敵な投稿をマメにチェックしています。

⑤リアルでのアピールも大事！　できることは口にだす

5つ目は、イベントなど、リアルで人と会う機会に、「私はこんなことができます」とか「普段はこんなことをやっています」といえるようにすることです。

正直、自分から営業をかけることや、主催者の方に話しかけることが苦手な人は多いと思います。しかし、せっかくイベントに出席したなら、ほんの少しの勇気をだして名刺交換や世間話がてら話しかけてみましょう。もちろん「売り込もう！」という本気の営業トークはしなくて大丈夫です。

まだ実績がなくても、「○○の分野に興味があって」など、これからやりたいことを話すのもアリです。**何かの機会に「そういえばあの人、○○がやりたいっていっていたな……」と思い出してもらえるかもしれません。**

⑥イベントレポートを書く

最後は、イベントやセミナーのイベントレポートを書いてみることです。

・参加できなかった人に向けて発信する⇓有益なブログだと認識してもらえてフォ

図6-5-2　大事なテクニック④～⑥

④ ハッシュタグを活用する

メディアの担当者が見つけやすい工夫を

#ナイキスニーカー
nike
#ナイキシューズ

⑤ リアルでのアピールも大事！できることは口にだす

実績がなくても興味があることを伝えるだけでもOK

⑥ イベントレポートを書く

フォロワー数増加、ライティング能力の向上を狙う

ロワーが増える

・主催者が喜ぶ内容を盛り込む⇓主催者経由で、フォロワーが増え、多くの人に知ってもらうチャンス

・自分のライティングの練習になる

など良いこと尽くめ！　イベント終了後、主催者が拡散したくなる内容を盛り込んで素早くアップしましょう。

ブログを通して仕事をもらうための行動には向き不向きがあります。**人との関わりがあるので、苦手な方は無理にやらなくてOKです。**

Column 6

ステマ、駄目、絶対!

ブログを書いていると、企業から「宣伝であることを隠して記事を書いてほしい」と依頼されることがあります。僕も実際に何度もそういった依頼をされたことがありますが、こういった要望は一切受けません。いわゆる「ステルスマーケティング(ステマ)」に該当します。ステマを日本で直接規制している法律はありませんが、シンプルにあなたが損をします。なぜなら、この行為は読者からの「信頼」を裏切る行為だからです。

「お金を受け取ったから自分たちにおすすめしたんだ」と読者に知られれば、当然それから先のあなたの発信を信用しなくなるでしょう。また、「おすすめ!」と紹介した商品が実際に微妙だったときも同様です。

一時的には報酬を受け取って得をするかもしれませんが、長期の目線で考えると信頼を失うことの損失は本当に大きいです。

もちろん、報酬を受け取ったり、商品の提供を受けて宣伝のお手伝いをしたり、記事を作成することは何も悪いことではありません。しかし、**その際は必ず「PR」「広告」「商品提供を受けています」など、正直に記載するようにしましょう。**読者の方の信頼を決して裏切らないようにしてください。

第7章

これからのブログ成功のカギを握るのはSNS

アクセスキー　h（小文字のエイチ）

7-1

基礎知識

今やブログ運営に「SNS」は必須

ゆるポイント1 SEO以外の流入源で安定感アップ

ゆるポイント2 結果的に、SEOにもプラスになる！

現在のブログ運営はSEOだけでは集客が厳しく、SNSが必須です。ここではその理由を解説していきます。

SEOに依存しない流入源になる

SEO以外の流入経路として期待できるのがSNSです。フォロワーを積み上げていくことで、安定した1つの流入源にすることができます。

検索順位はアップデートにより一気に動くことがありますが、フォロワーが一気にいなくなることはほぼありません。

また、新しいブログを作成するとき

にも、フォロワーがいることで非常に有利になります。全員ではなくても、間違いなく何割かの人はついてきてくれます。

ブログをはじめる際に、どんな人でも悩むのが「どれだけ素晴らしいものをつくるか」と同時に「どうやって知ってもらうか」という部分です。フォロワーがたくさんいるだけで、その2つ目の悩みは解決できます。

SEO的にもプラスになる

SNSで話題になった記事は、検索エンジンの反応も良くなることが多いです。おそらく、SNSで話題になることで多くの人がサイトやブログでも話題にし、結果的に被リンクが増える、という流れをたどります。

また、**フォロワーが多いと、初動のアクセス数が変わってきます**。検索結果に反映されるまでには時間がかかりますが、SNSならシェアした瞬間に読んでもらえます。

実力以上に記事が評価されることはないのですが、少なくとも「評価してもらえる土俵」には間違いなく上がれます。SEOのリスクヘッジとしてSNSをやると、結局SEOでも評価されるというのは面白い話です。

7-2

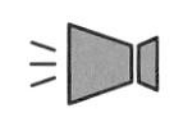

読者のリアルな声を聞いてみよう

ゆるポイント1 自分の認知度を手軽に上げられる

ゆるポイント2 リアルな声を簡単に拾えて良い記事が書ける!

SNSは、流入源の1つとして優秀という話をしましたが、実は他の面でもブログに役立ちます。それが「読者との繋がり」という部分です。

ブログやコメント欄だけでは交流に限界がある

ブログを書くメリットとして「仲の良い友人がつくれる」と1章5節でお伝えしましたが、それはこのSNSなくしては難しいです。**ブログの記事は一方的にこちらの記事を読んでもらうだけですが、SNSは双方向のやりとりが可能です。**読者が悩み相談や雑談をしやすい環境は、あなたを「画面の中の誰か」から「リアルにいる人間」にしてくれます。

また、「詳しいサイト」から「詳しい専門家」へと、個人としての認知度を上げることができます。これは、何度か登場する「○○といえば自分」の認知の手助けにもなります。ブログよりも少ない文字数で読者と簡単に繋がれるという点でも、SNSは有効なツールです。

読者のリアルな声、疑問、質問を拾うことができる

SNSは、「読者の悩みを知る」という意味でもとても優秀です。つくられたものではない「リアルな声」だからです。誰か1人がつまずいた内容は、他の人もつまずきやすいポイントです。それを知ることができるのは、ブログ運営において大きなアドバンテージになります。

SNSに質問箱を設置したり、「困ったことがあれば教えるよ!」と窓口を開いたりしておくと、質問が届きやすいです。その困っていることを自分の知識で解決してあげながら、その回答をもとに記事を書けば「100%需要のある喜ばれる記事」を書くことができます。それはつまりアクセス数や収益アップに繋がる記事になります。

7-3

基礎知識

実は間違っている フォロワーの増やし方

ゆるポイント1 まず意識するのは「実績」だけでいい

ゆるポイント2 フォロワーを増やすのはたった2ステップ！

僕は2021年7月現在、ツイッターのフォロワーが11万人以上います。そんな僕から見て**「間違っているのに、なぜか流行っているフォロワーの増やし方」**があるように感じます。

例えばこういったものです。

- **箇条書きで画面の占有率を上げる**
- **インフルエンサーに絡みまくってインプレッションアップ**
- **朝8時と夜20時に人が多いから、毎日その時間に投稿する**
- **毎朝特定のハッシュタグでつぶやく**

もちろんこれらが無駄だとはいいませんし、テクニックとして有効なものもあると思います。それでも、「本質的な部分ではない」と強く思います。まず意識すべき本質は「実績」という部分です。

ツイッターのフォロワーを増やすには「実績」が必要

結論からいうと、フォロワーを増やすために必要なポイントはたった2つです。

①「実績」がある
②その「実績」に至ったヒントや考え方を発信する

もちろん「発信方法」は大事です。でもそれはあくまで実績がある前提です。冒頭で、僕のフォロワー数が10万人以上といいましたが、この理由も簡単です。

- **実績がある（ブログ収入だけで生活。収益月100万円を4年以上継続）**
- **その実績に至った方法を、惜しみなく伝えている**

「ちゃんと実績を持っている人が、いろいろわかりやすく教えてくれる！」これ以上にフォローする理由はありません。

フォロワーの多い人のアカウントを見ると、大体みんなわかりやすい「実績」を持っていませんか？ 例えばブロガーだったらPVが多いとか、高収益とか、メディア実績があるとか、本をだしているとか。そして、そこに至ったノウハウや考え方を発信していませんか？ フォロワーを増やす本質はここにあります。

フォロワーを増やしたいあなたが今すぐすべき2つのこと

ここまで読んできてくれた人たちならよくわかると思います。フォロワーを増やすためにするべきことは次の2つだけです。

①小さくてもいいから「実績」をつくる
②その「実績」がほしい人に、手に入れた過程やその方法、ヒントを伝える

この2つを徹底的に意識しましょう。

簡単にマネできるテクニックが人気ですが、そればかり磨いていたら、間違いなく伸び悩みます。

もちろんいきなり超デカイ実績なんていりません（というか、無理です）。小さな実績から、コツコツ積み上げていきましょう。実績のつくり方も、この本では解説しています（第7章5節参照）。目先のテクニックや、裏技もどきにとらわれず、確実に前進していきましょう。

図7-3　フォロワーを増やす方法の勘違い

勘違い❶　発信内容よりもテクニック重視！

これらはフォロワーを増やす「本質的な方法」ではない！

勘違い❷　プロフィールの実績は大きくないとだめ？

- 投資初心者で仮想通貨に10万円投資した
- 3か月後には資産を倍にした

小さな実績を積み上げて、将来大きな実績になればいい！

- 仮想通貨投資の収入だけで生活
- 1年で億り人に！
- 出版した

7-4

収益安定化のカギは「○○といえば自分」

ゆるポイント1 「○○といえば自分」の状態になれば安定感抜群

ゆるポイント2 コンセプトが決まれば、誰でも目指せる！

「○○といえば自分」に必要なのは「コンセプト」

「収益安定化のために『○○といえば自分』になれ！」といわれても「その『○○』の部分が決められないんですけど!?」という人も多いと思います。そこで必要なのが、発信の「コンセプト」です。**記事単位ではなく、自分の発信（ブログ、SNS全て）を通して「どんな人のどんな悩みを解決するのか」を考えよう**、ということです。

もちろんはじめからガチガチに固める必要はありませんが、将来的に、このコンセプトを固めていく必要があるということは覚えておいてください。

ターゲットを絞って考えよう

とはいえ、**いきなり「料理する人の悩みを解決します！」「お金で困っている人の悩みを解決します！」というコンセプトに決めるのは危険です。**なぜなら、単純に「範囲が広すぎる」「人によって違う」からです。例えば料理の悩みといっても、大学生の一人暮らしと、子どもが2人いる主婦では全く内容が変わってきます。

そこで、「料理」ではなくて、「一人暮らし男性でも簡単につくれる包丁を使わない料理」に絞ってみる。「グルメ」ではなくて、「OLが使いやすい渋谷のランチ」に絞ってみる。「お金」ではなくて、「大学生が在学中に50万円貯める方法」に絞ってみる。

このようにターゲットを絞ることで、そのジャンルの第一人者になることができます。「すごく狭いジャンル」で有名になったら、だんだんと範囲を広げていけばOKです。よほど関係のない発信をしない限り、範囲を広げてもあなたのファンはついてきてくれます。

この「〇〇といえば自分」にどうしても欠かせない要素が「実績」です。

次の節で、具体的な実績のつくり方をお話ししていきます。

7-5

売上アップ

何の実績も強みもない人だからこそ書ける記事がある

ゆるポイント1 小さな実績でも問題ない

ゆるポイント2 ちょっとジャンルをズラすだけでライバルにも勝てる

ブログで稼ぐのであれば、間違いなく「実績」「強み」が必要になります。

この話をすると「じゃあ自分には無理かも……」と思ってしまう人は多いのですが、そんなことはありません。

なぜなら、皆さん「実績」や「強み」を難しく考えすぎているからです。

例えば「ギターが1曲弾ける」「目玉焼きがつくれる」「副業で100円稼いだ」「TOEICで500点とった」「1年で20万円貯金した」などはすべて実績です。**これくらいの実績なら、すでに持っている方も多いのではないでしょうか。**

最も簡単な実績は「数」を増やすこと

とはいえ、「じゃあ、私は目玉焼きをつくれるから、ブログで稼げるの?」と聞かれると、正直そんなことはありません。**「小さな実績」これは誰でもつくれます。それが積み上がって数が増えていくと、急にすごいと思われるのです。**

例えば「目玉焼きくらいの工数の簡単な料理のレシピを100も知っている人」がいたら、簡単な料理レシピについて聞いてみたくないですか?

「自分の住んでいる地域のランチを100軒食べ歩いた人」がいたら、おすすめのお店を聞いてみたくないですか?

「イヤホンのレビューを100個した人」がいたら、自分がイヤホンを買うとき、その人に相談したくないですか?

「特定ジャンルの本の書評を100冊書いた人」がいたら、自分がそのジャンルの本を読みたいとき、どれを読むべきか聞きたくないですか?

このように数を増やすだけで「誰でもできる小さな実績」は、誰もがすごいと思う

「実績」や「強み」になるのです。

この話を聞いて「地味だ……」「面倒だ……」と思った方もいるかもしれません。それはもうおっしゃる通りで、地味だし面倒です。でもですよ、あなたの思い浮かべる「実績を持ち、稼いでいる人」は、漏れなくこれを積み上げてきた人たちです。例外があるとすれば「天才」か「詐欺師」のどちらかでしょう。

この方法の良いところは、「才能」が一切いらないことです。実績の積み上げがきちんとできるなら、誰でも「実績のある人」になれる、ということです。

考え方を「ズラす」ことで、被りを回避しよう

「小さな実績の数を増やす」という戦略には、1つ注意点があります。それは「同じジャンルですでに数を圧倒的に増やしている人がいたら厳しい」ということです。例えば、料理レシピの数で勝負しても、クックパッドのような大手レシピサイトには絶対に勝てません。そんなときに重要なのが「ズラす」という考え方です。

例えば料理レシピブログなら、次のような切り口を考えます。

・4人家族が1食1000円以下でつくれるレシピに限定して100個掲載

図7-5　ライバルとのジャンルのズラし方

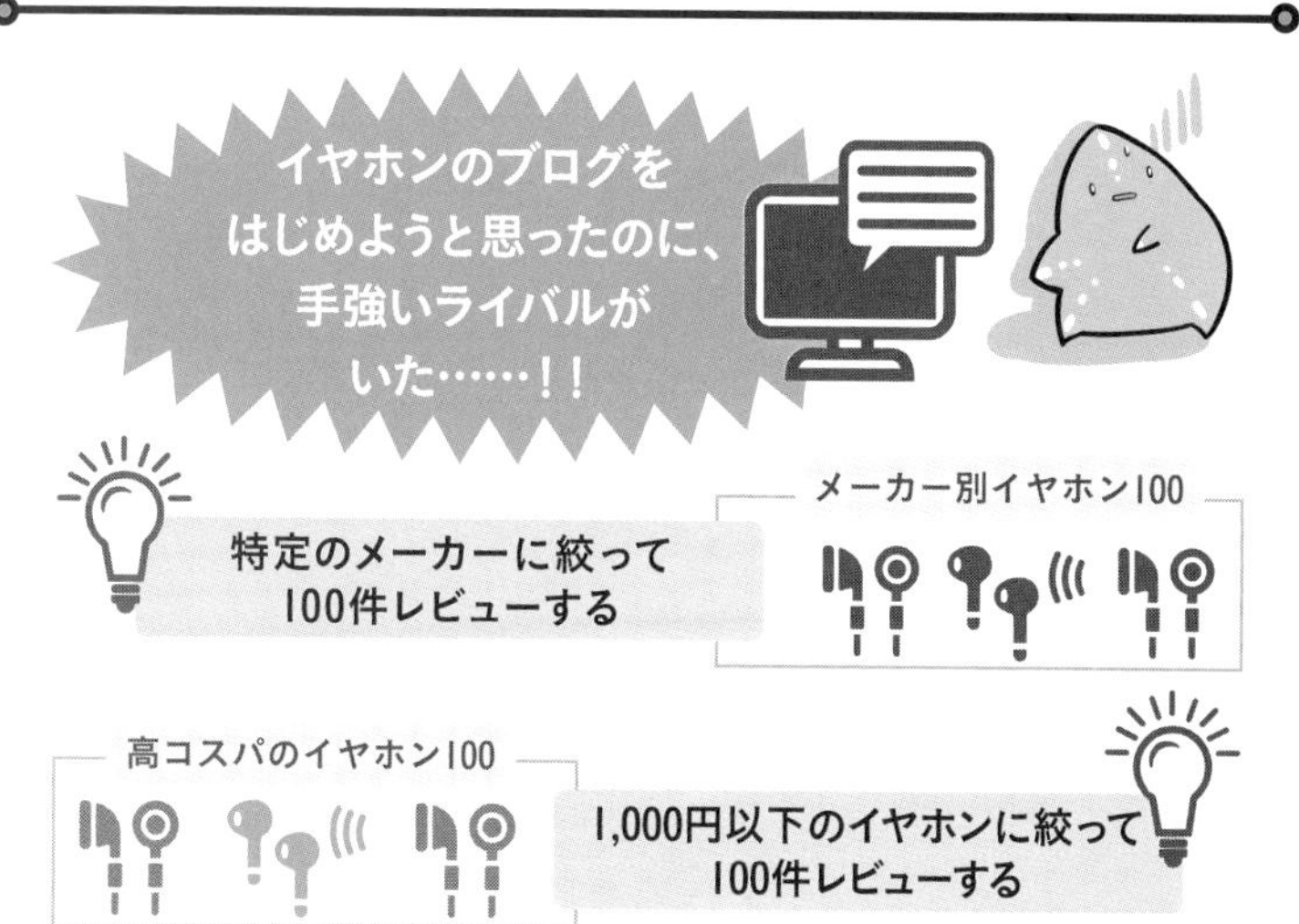

・**糖質制限かつ、栄養バランスの取れたレシピのみで100個掲載**
・**セブン-イレブンで買える食材のみで100個掲載**

他にも、イヤホンブログをやりたいのにすでにすごく大きいサイトがある……という場合なら、図のような方法が考えられます。

いきなり「料理の人」「イヤホンの人」になろうとせず、「セブン-イレブンの料理の人」「1000円以下のイヤホンの人」になり、**知名度やファンが増えてから、改めて大きな領域に攻めていきましょう。**

7-6

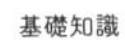

それぞれのSNSの特徴を知ると収益化しやすくなる

ゆるポイント1 自分が使い慣れているSNSでOK

ゆるポイント2 ツイッターなら匿名＆顔出しなしでやりやすい

「結局どのSNSをやればいいの？」と悩む人も多いでしょう。結論としては、自分が普段使っているSNSからはじめるべきなのですが、ブログをきっかけに複数のSNSを扱うケースや、新たなSNSに挑戦するケースもあると思います。ここでは、それぞれのSNSの特徴について紹介します。

主要なSNSの特徴

ブログと相性の良い主要なSNSはツイッター、インスタグラム、フェイスブックの3つです。TikTokはブログ流入にはほぼ繋がらないので、ここでは割愛します。

ツイッターの特徴

ツイッターは主に文章や、リアルタイムのコミュニケーションがメインとなるSNSです。文字数制限があるため、文章といっても短文が中心です。特に若年層の利用率は非常に高く、総務省の調査※によると10〜20代のおよそ7割が利用しているSNSだそうです。

また、**匿名での発信が比較的一般的なSNSなので、顔出しや実名に抵抗がある方でも利用がしやすい**と思います。

交流が行いやすく、「リツイート」という機能でフォロワーのフォロワーにまでリーチすることが可能で、**投稿が爆発的に拡散される「バズ」が起こりやすいSNS**でもあります。逆にいうと「炎上」が起きやすいSNSでもあるので、発信内容には注意が必要です。

ハッシュタグを使った投稿により、ツイッター内の検索からの流入も期待でき、若者を対象にしたブログをやるなら、ぜひはじめておきたいSNSです。

※総務省「令和元年度 情報通信メディアの利用時間と情報行動に関する調査報告書」
https://www.soumu.go.jp/main_content/000708015.pdf

インスタグラムの特徴

写真や動画をメインとする、ビジュアルを大きく強調したSNSです。こちらも若者の利用が圧倒的に多く、特に女性の利用者が多いです。「ただ写真を流すだけのSNS」という印象が強いかもしれませんが、近年は「ストーリーズ」「リール」など、幅広いコミュニケーションが可能です。

「視覚を通して訴求しやすい女性向けのジャンル」には特に強く、美容やコスメ、おしゃれなお店などでその効果は絶大です。

ブログの補助で使う場合は、いわゆる「インスタ映え」の写真は必ずしも必要ないですが、あくまで画像中心のため、他のSNSよりも投稿には手間がかかります。

とはいえ、女性がターゲットのブログをやるのであれば、同時にはじめておいて損がないSNSです。

フェイスブックの特徴

フェイスブックは20代と30代を中心としたビジネスシーンでの利用が多いSNSで

図7-6　主要SNSの特徴

	国内月間アクティブユーザー	ユーザー層	特徴
ツイッター	4,500万	20代が多い 平均年齢は35歳	・リアルタイム性と情報拡散力 ・興味関心でつながる ・短文のコミュニケーション
インスタグラム	3,300万	10代と20代で半数以上を占める	・雑誌感覚・ビジュアル訴求 ・フィードとストーリーズの使い分け ・ハッシュタグからの流入
フェイスブック	2,600万	登録者数は20代と30代が多い	・実名性が高くリアルなつながりを反映 ・ビジネスシーンでの活用 ・コンテンツの自由度が高い

2021年7月時点

出所：WeLoveSocial（コムニコ）Webサイトより。数値は、各媒体の公表データから集計
https://www.comnico.jp/we-love-social/sns-users

す。最大の特徴は「実名登録制」であること。他のSNSと比べて、よりオフラインでの人間関係に近いです。そのおかげで**マナーが良く、悪質なコメントをしてくるユーザーがほとんどいません。**

また、実名登録であることを活かした膨大なデータがあるおかげで、広告の機能が非常に優れているのも特徴の1つです。

ミドルユーザーに最もリーチしやすいSNSなので、ターゲットによっては利用を検討する価値のあるSNSです。

7-7

避けられない「批判」や「アンチ」との向き合い方

ゆるポイント1　結局アンチコメントは「無視」が一番

ゆるポイント2　アンチへの対応は時間の無駄だと考える

たまに批判するコメントがくることがあります。どんなに真っ当な発信をしていても基本的に避けられません。向き合い方をお伝えします。

前提として、ネットでのケンカは不毛

大前提として、ネット上で批判をされても、応戦はしないほうがいいです。

シンプルに、メリットがないからです。反論したところで、アンチが改心して「僕が間違っていました!」などといってくることは100%ありません。仮にカッコよく相手を言い負かして、完璧に論破できても、自分にとってマイ

ナスです。

なぜなら完全に論破された相手は、基本的にあなたのことが嫌いになるからです。ここから先、何らかの方法で足を引っ張ろうとしてくるでしょう。

そういった人を言い負かせば「カッコイイ！」と思うファンがつく可能性はあります。しかし、同時に「バトルしていて怖い」と思う人もでてきます。

たしかに、批判が気になるのはわかります。言い返したくなる気持ちも本当にわかります。6年以上やってきた僕だって、今でもそう思うことはあります。でも、ネット上のケンカは良いことが1つもありません。

批判されたときの考え方

では、実際に批判を受けてしまった場合はどうすればいいのでしょうか。**まず、突っ込まれた内容が、相手に理がある場合。もうこれは正直に「ごめんなさい」といって、自分の考えを改めるしかありません。**ただ、世の中には「真っ当な批判」とセットで暴言を飛ばしてくる人もいます。

例えば「赤信号を渡るな」は正論ですし、もしいわれたら謝罪して直すべきです。

でも「赤信号を渡るなカス。そんなアホな考えでよく今まで生きてこれたな。二度とブログやるな」といった具合に、セットにされたら腹が立ちます。

でも、そこに反論しても「自分が悪いことをした」という事実は変わりません。それがわかっていて、わざと挑発する人もいるでしょう。まあそういった人たちの「カス」「バカ」「アホ」はラップでいう「YO」「チェケ」「ラッチョ」みたいなものなので深い意味はありません。グッとこらえてください。

ただ、自分の発言に、何かしらそう思わせるだけの要因があったことだけは覚えておいて、次に活かしましょう。

続いて**突っ込まれた内容がそもそも意味不明・どうでもいい内容、あるいはただの罵詈雑言の場合。これはもう無視してOKです。**

そもそも前提として、「諭す」ためではなくて単に気に食わない、妬ましいという理由で、「攻撃」を目的としている人が普通にたくさんいます。

そして前述した通り、ネット上で議論っぽいことをした時点でたいてい評判は下がるし、疲れます。

つまり、もう反応した時点でどうあがいてもこちらの負けです。無視をしましょう。

図7-7　批判に反応する？ しない？

自分のことを、「好き」といってくれる人に時間を使おう

アンチコメントを無視すると、「批判にも耳を傾けないのはおかしい！」といわれることがありますが、全く気にしなくて大丈夫です。

そういうのは自分が信頼できる人の話だけ聞いておけばいいのです。あなたのことを好きな人たちのために時間を使ってください。あなたが批判やアンチの相手をすると、それだけ他の人たちに使える時間が減ってしまいます。アンチに時間を使うのはやめましょう。

Column 7

ブログ運営のお役立ちツール

ブログには、さまざまな有料ツールがありますが、結論からいうと初心者の方にはほぼ必要ありません。なぜなら、無料で使えるツールがめちゃくちゃ優れているからです。**僕自身、次の6つの無料ツールを主に使っています。**

マインドマップ作成「MindMaster」、アイキャッチ作成「Canva」、タスク管理「Trello」、メモ帳「Evernote」、アクセス解析「Googleアナリティクス」、キーワード解析「Google Search Console」です。中には有料プランがあるものもありますが、基本的にはすべて無料で使えます。

僕はブログで月100万円を4年以上継続していますが、使い続けているツールはほぼこれだけ。後は有料のものでWordPressのテーマ(JIN を愛用)、検索順位チェックツールの「GRC」(月額約500円。無料版も有り)を使っているくらいで、他に特別なツールは一切使っていません。月100万円以上を稼いでいる僕でこの状態なのですから、初心者の方は有料のツールに手をだす必要は一切ないです。

もしかしたら、いつか必要になる日がくるかもしれませんが、まずは無料のツールをしっかり使いこなせるようになりましょう。

第8章 楽しく稼ぐための7つのルール

アクセスキー P（大文字のピー）

8-1

時短

ブログで読者の悩みを解決する

ゆるポイント1　自分の悩みを盛り込めば簡単に良い記事になる

ゆるポイント2　ヤフー知恵袋で検索するだけでネタが手に入る

楽しく稼ぐための1つ目のルールは「ブログで読者の悩みを解決する」です。第6章でも触れましたが、かなり重要な部分です。この本質だけ最初に理解しておけば、他の力はだんだんとついてきます。

読者の悩みをどう考える？

読者の悩みの考え方は大きく2つあります。

- **自分の過去の経験から悩みを考える**
- **悩みが集まるサイトを参考にする**

前者は最も簡単な方法です。自分が過去につまずいたことを思い返してみます。もしくは「今から憧れの人に0から教えるなら、何を教えるだろう」と考えてみるのもいいでしょう。重要なのは「憧れの人」であること。芸能人でも、知り合いでもいいのですが、もしそのような人に自分が教えるなら、徹底的に調べて、つまずきそうなところを先回りして、少しでもわかりやすいように伝えたい、と思いませんか？それくらいの丁寧さでブログを書いていくと、上手くいきやすいです。

続いて後者ですが、**特におすすめのサイトが「ヤフー知恵袋」です**。ここは、リアルな悩みを持っている方が、非常にたくさんの相談をしています。また、ユーザー数も膨大なので、悩みの幅も非常に広いです。

ヤフー知恵袋の良いところは、検索ができる点です。ぜひ、自分のジャンルのキーワードで知恵袋内を検索してみてください。きっと、自分では思いつかなかったような悩みや、自分が思っているよりも深い悩みが見つかります。そして、ありがたいことに、そこには解答までセットでついています。

もちろん、他人の言葉をコピペで記事にするのはNGですが、記事ネタとして非常に参考になるので、このような悩みが集まるサイトをチェックしてみてください。

8-2

売上アップ

モチベーションアップ

読者と誠実に向き合う

ゆるポイント1　お金儲けと読者の信頼は両立できる

ゆるポイント2　信頼がたまれば自分でつくった商品だって売れる

楽しく稼ぐための2つ目のルールは「読者と誠実に向き合う」ことです。これは、上手くいっているときほど意識しましょう。

読者への「誠実さ」を忘れない

ブログ運営が上手くいくと、いろいろな誘惑がでてきます。

- **「お金を渡すので、これを良い感じに紹介してください」といわれた**
- **おすすめではないけど、これが売れると高い報酬がもらえる**

このとき思い出してほしいのが、読者と誠実に向き合うことです。これは、

キレイごとでいっているわけではなく、そのほうが長期的にみて得をします。

なぜなら、誠実に運営すればするほど、読者からの信頼が積み上がるからです。儲け話に走ってしまうと、信頼を損なうことになってしまいます。短い周期で見たら、信頼なんて無視してお金儲けを優先したほうが儲かるかもしれません。しかし、あなたの発言を聞いてくれる人は確実に減っていきます。

お金儲けは悪ではない

良い記事を真剣に書くためにも、お金は必要です。そして「お金を儲けること」「読者に信頼してもらうこと」は、この2つを意識すれば両立できます。

- **仲の良い友人や親戚にも本当におすすめできる商品**
- **読者の悩みを本当に解決できる商品**

もっと高料率の商品があってもそれには手をださないことをおすすめします。

すると、稼げる上に、読者の信頼もたまっていきます。だんだんと「あなたがいうなら買うよ」という人だってでてきます。そこまできたら、商品紹介どころか、自分で商品をつくって売ることだってできるでしょう。

8-3

自分の好きな得意ジャンルをつくろう

ゆるポイント1　得意ジャンルなら自然と記事を書くのが速くなる

ゆるポイント2　好きなジャンルなら下調べがラクになる

楽しく稼ぐために、自分の得意ジャンル、好きなジャンルをつくっていけると最強です。最終的には第7章でも伝えた通り「○○といえば自分」というレベルまで、そのジャンルを極められるといいですね。

得意ジャンルがある強み

自分の好きな得意ジャンルがあることで、2つのアドバンテージが得られます。

まず作業効率が良くなり、単純に記事を速く書けるようになることです。なぜなら、得意なジャンルは、初心者がつまずく場所がわかるので頭の中で書くことが描きやすくなります。また、記事を書く際に必要な下調べも最低限のもので済みます。その結果、全然知らないジャンルと比べて、かなり効率的に記事を作成していけるのです。

2つ目のアドバンテージは下調べに関連しているのですが、「情報収集が苦ではなくなる」ことです。良い記事を書くための「しっかりとしたインプット」を自然と楽しんでできるので、単純にインプットの量が段違いになります。

例えば、キャンプ好きな人がキャンプブログをやるとして、キャンプの雑誌を読むことは、一切苦痛ではないはずです。むしろ、読みたいはずです。テレビでキャンプ番組をやっていれば、「ブログのために見なきゃ！」なんて思わなくても、ついつい見てしまうでしょうし、実際にキャンプに趣味で行くこともあるでしょう。新商品がでれば試してみたいし、今までのものと比較もしたくなるはずです。

このように、インプットをすべて楽しみながらできてしまいます。その結果、もちろん記事の質は上がりますし、高い質の記事を書くあなたのもとには、同じものを好きな人たちが集まってきます。ぜひ、自分の好きな得意ジャンルをつくりましょう。

8-4

1日30分でも、毎日ブログに触れる

ゆるポイント1 重要なのは毎日のブログ更新ではない

ゆるポイント2 1日30分も難しい方は5分触れることからスタート

ブログは、成果がでるまでにどうしても時間がかかります。イメージとしては、短距離走ではなくマラソンのような意識が必要です。一気に走りきる必要はありません。また、周りの人たちのスピードを気にすることなく、マイペースで確実に進んでいくことが重要です。

そこで重要になってくるのが「止まらない」ということです。

毎日更新しないとだめ？

「つまり、毎日更新しろ、ってこと？」と思うかもしれませんが、そうではありません。特にはじめのうちは、記事を1つ書くだけでも一苦労でしょう。毎日更新できたら素晴らしいですが、難しい人も多いと思います。そんな人のための目標として、毎日30分ブログに触れることをおすすめします。**どうしても無理な場合は、毎日5分からでもOKです。**

更新できなかったら、続きは明日でもOKです。とにかく、絶対に毎日5分だけはブログに触りましょう。人によっては、毎日何時間も頑張りすぎると途中で挫折してしまうこともあります。止まらずに、継続すること。まずは、ここを目標にしてみてください。そこが、スタートラインです。

あなたは確実にレベルアップする

ブログは、どうしても結果の反映に時間がかかるので「もしかして、自分は少しも進歩してないのでは？」と不安に思うかもしれません。しかし、人によって程度の差はあれど、毎日ブログに触れていれば、皆必ずレベルアップします。

「一緒にはじめた同期ブロガーは、もう1万円稼げたのに、私はまだ全然……」という日もあるかもしれませんが、周りの走る速さは関係ありません。そこで投げださずに、自分のペースで、毎日コツコツと続けていきましょう。

8-5

時短

何気ないスキマ時間を活用する

ゆるポイント1　パソコンが手元になくても作業はできる

ゆるポイント2　ブログに触れた日をメモするとスキマ時間が見えてくる

「ブログをはじめたはいいけど、時間がない！」というのはよく聞く相談です。たしかに、新しいことをするのですから、なかなか時間が捻出できないのは当然だと思います。本業などが忙しくて時間がない方は「何気ないスキマ時間」を利用してみましょう。

何気ないスキマ時間の使い方

ブログには「実際にパソコンに向かって記事を書く」という時間以外にも、必要な時間がたくさんあります。

- **記事のネタを考える**
- **記事の構成を考える**

・自分のジャンルの情報収集をする

・ブログ運営の勉強をする

これらはスマホでも難なく可能です。というか、「記事のネタを考える」に至っては、何も道具がなくてもすることができます。こういった**「パソコンの前でなくてもできる、ブログに必要な作業」をスキマ時間にぜひ行ってみてください。**

・通勤、退勤中の時間や会社のお昼休み

・テレビのCM中

・お風呂の湯船に浸かっているとき

こういった時間でも、ブログ運営に役立てることは十分に可能です。「時間がない！」という方でも、さすがにこういったスキマ時間はたくさんあるでしょう。

実際に、ブログにほんの少しでも触れたときはカレンダーやメモなどに記録を残すことをおすすめします。「意外とこんなに時間があったんだ」と改めてスキマ時間を意識できますし、振り返ったときに「今月も頑張った」といった自信にもなります。

「時間がない！」とお悩みの方は、ぜひスキマ時間を活用していきましょう。

8-6

「成長」を意識して継続できれば、100%成功する！

ゆるポイント1 日記で可視化すると続けやすい

ゆるポイント2 昨日より1歩でも前に進めればOK

ブログで一番大切なのは継続です。

こうした話をすると「つまり継続していれば、適当に続けていても稼げるようになるってことですね!?」といいだす人がいますが、残念ながらそうではありません。継続は最低限のスタートラインで、その先の成長を意識することが成否の決め手です。

「継続」して「成長」していこう

継続の生み出すすごい力が「成長」です。毎日続けることで、昨日の自分よりもレベルアップすることができます。そして、このレベルアップをし続けることで、半年や1年続けたときに、自分がとんでもなく遠いところまできたことに気づくはずです。

ブログを「継続」して「成長」を意識し続けられたら、100%稼げるようになります。成長を意識しながら、継続を続けている人で、失敗している人はほとんどいません。

例えば、昨日わからなかった操作を、検索して覚えましょう。昨日よりも、読みやすい記事を書けるようになりましょう。

月に1回でいいので、時間をつくって前月と比べてできるようになったことを振り返ってみましょう。きっと、本当に多くのことができるようになっています。もちろん、一気に成長するのは難しいです。それができるのはいわゆる「天才」の人たちでしょう。でも、コツコツと、確実に一歩ずつ成長していくことは誰にでも可能です。

継続ができるようになったら、成長を意識していきましょう。「私は全然何もできない」という人も大丈夫です。それだけ、これから成長していけるということです。

8-7

楽しめる工夫をする

ゆるポイント1 手っ取り早いのは好きな得意ジャンルで書くこと

ゆるポイント2 カフェで書くだけでもブログ継続に効果抜群

僕が最後に伝えたいことは、「楽しくやろう」という気持ちを持つことです。ブログは継続しないと結果がでません。でも、正直楽しくもないことを継続なんてできないですよね。

得意なジャンルや好きなジャンルを選ぼうというのも、これが理由です。

例えば新製品の発表会。普通の人だったら「勉強のために」「記事ネタのために」という理由で行くはずのものが、「自分が行きたいから」「そもそも趣味だし普通に楽しみ」という理由で行けるのであれば、それはとても有利なことです。

ただ、**どうしても日によって気分の波もあるし、実際に記事を書こうと思うと面倒に感じることもあると思います。**そんなときに楽しむための工夫を紹介します。

普段の環境を変えてみる

僕の場合は、普段自分がいる環境を「変えてみる」という手法を取っています。例えば次のような工夫が有効です。

- **周りの人を変えてみる**
- **書く場所を変えてみる**

特に、前者は効果的で、具体的には「同じくブログを頑張っている仲間」と交流するといいでしょう。具体的には、SNSで同じように頑張っている人をフォローして励まし合い、グループをつくって切磋琢磨するのもいいですね。

もし難しそうであれば、オンラインサロンに入ってそういった環境を手に入れるのも1つの手です。圧倒的に継続できる確率が上がりますし、何よりも、新しい人間関係ができること自体にも魅力があります。「最近、何だかモチベーションが下がってい
るな」と思ったら、ぜひ交流を楽しんでみてください。

また、後者も気分転換になっておすすめです。ちなみに僕自身も、基本的には家でブログを書くのですが、気分転換に外で書くことも多いです。ちょっと散歩してみたり、おしゃれカフェに入ってみたり、近所の安いビジネスホテルに泊まることもあります。**不思議と、家だと「面倒くさいなー」と思っていたことが、環境が変わるだけで集中して取り組めたりします。**

家の中で気分転換するときは、机の周りに緑を置いてみたり、お気に入りのルームフレグランスを置いてみたり、軽めの運動やストレッチをしたりするのも効果的です。

「稼ぐ」と「楽しむ」この2つが結びつかない人は、意外と多いものです。お金は汗水たらして、苦労して稼ぐものだ、という価値観です。それ自体は否定しませんし、「ブログなら楽して稼げる!」というつもりもありません。

しかし、その過程を楽しんでやるか、苦しんでやるかを決めることができるのは自分自身です。少しでも「楽しくやろう」という意識で取り組んでいきましょう。

図8-7　僕ヒトデが普段やっているモチベの上げ方

「なぜ」ブログを
書くのか考える

ブログ友だちをつくる
誰かと一緒にやる

インプットに集中する
新しい体験をする

変化する

自分の記事が誰かの
役に立っていると自覚する

書く環境を変える

あとがき

「ブログと出会って人生が変わった」

心からそう言い切れます。しがない会社員の自分が、ブログに出会い、それが副業になり、給料よりもブログ収入が多くなって独立し、法人化までして、時間と場所にとらわれない働き方をしながら、今はこうして本を書いてくれとまでいわれるようになっている。

ブログを通じて、さまざまな人と出会い、たくさんの友だちや仕事仲間ができて、大切な人もできて、結婚までしました。

もう、どう見ても人生が変わった。そう言い切っても過言ではないでしょう。

こんな話をすると、「天才」「才能があった」なんていわれるのですが、少なくとも自分は優秀な人間ではなく、**ブログやパソコンの予備知識があったわけでもありません**。これからブログをはじめる皆さんと同じように、何もわからない状態から、とりあえずブログをつくってみて、とりあえず書きはじめてみただけです。

当然ブログについて何も知らないし、「SEO」だの「アナリティクス」だの、意味不明な横文字でちんぷんかんぷん。そんな状態から、コツコツと積み上げて6年。今のような状態になっています。

同じようにコツコツ積み上げたら、全く同じ結果になるよ、とはもちろんいえません。時代の流れもあれば、運の要素もあったでしょう。

それでも、**ブログをはじめることは、あなたの人生においてプラスになると言い切れます**。たとえ途中で挫折したとしても、その経験は無駄にはなりません。

WordPressでのブログ立ち上げや、アナリティクスやサーチコンソールの設定ができるのも、すごいことです。普通はそんな言葉すら知らない人がほとんどでしょう。グーグルアドセンスに合格して、1円でも稼いだなら、もうめちゃくちゃすごいです。人に雇われずに、自分の力で1円でも稼いだことのある人がどれだけいるでしょうか？ 近年ではSEOが複雑化して大手の参入も増えていますが、本書の基本を守りつつ継続していけば、月数万円の副収入を得ることは充分に可能です。

まずは一歩でも踏み出し、本書で学んだ7つのルールを実践していけば、ゲーム感覚で楽しんで運営していけます。そんなふうに挑戦していけるのであれば、この先、きっと上手くいくでしょう。

この本が、その手助けになれば、これほど嬉しいことはありません。僕自身、ブログ「hitodeblog」や、ユーチューブ「ヒトデせいやチャンネル」でも、ブログ運営の手助けになる情報を惜しみなく発信しています。困ったときはお役に立てるかと思います。また、各種SNSやLINEから僕に直接質問も可能ですので、お気軽にご相談ください。

皆さんのブログ運営が上手くいくことを、心から願っています。

そんな感じ！おわりっ。

2021年7月　ヒトデ

本書内容に関する お問い合わせ について

このたびは翔泳社の書籍をお買い上げいただき、誠にありがとうございます。弊社では、読者の皆様からのお問い合わせに適切に対応させていただくため、以下のガイドラインへのご協力をお願いいたしております。下記項目をお読みいただき、手順に従ってお問い合わせください。

●ご質問される前に

弊社 Web サイトの「正誤表」をご参照ください。これまでに判明した正誤や追加情報を掲載しています。

正誤表　https://www.shoeisha.co.jp/book/errata/

●ご質問方法

弊社 Web サイトの「刊行物 Q&A」をご利用ください。

刊行物 Q&A　https://www.shoeisha.co.jp/book/qa/

インターネットをご利用でない場合は、FAX または郵便にて、下記 " 翔泳社 愛読者サービスセンター " までお問い合わせください。

電話でのご質問は、お受けしておりません。

●回答について

回答は、ご質問いただいた手段によってご返事申し上げます。ご質問の内容によっては、回答に数日ないしはそれ以上の期間を要する場合があります。

●ご質問に際してのご注意

本書の対象を超えるもの、記述個所を特定されないもの、また読者固有の環境に起因するご質問等にはお答えできませんので、あらかじめご了承ください。

●郵便物送付先および FAX 番号

送付先住所　〒 160-0006　東京都新宿区舟町 5

FAX 番号　03-5362-3818

宛先　（株）翔泳社 愛読者サービスセンター

※本書に記載された URL 等は予告なく変更される場合があります。

※本書の出版にあたっては正確な記述につとめましたが、著者や出版社などのいずれも、本書の内容に対してなんらかの保証をするものではなく、内容やサンプルに基づくいかなる運用結果に関してもいっさいの責任を負いません。

※本書に記載されている会社名、製品名はそれぞれ各社の商標および登録商標です。

※本書に記載されている情報は 2021 年 7 月執筆時点のものです。

ヒトデ

愛知県生まれ。株式会社 HF の代表取締役。

会社に行きたくなさすぎて辛い日々を送っていたところ、趣味ではじめたブログ「今日はヒトデ祭りだぞ！」で稼げるようになり、副業で運営した後、会社を辞めてフリーランスになる。その後、法人化。完全初心者ブロガーのためのサイト「hitodeblog」をはじめ、複数のサイトを運営し、すべてのサイトを合計した最高収益は月 1,000 万円以上。現在も主にブログ運営で生計を立てている。

その他、2019 年には名古屋でブロガーのためのコワーキング「ABC スペース」をオープン。同時にブログ初心者のためのオンラインサロン「ABC オンライン」を立ち上げ、全くの初心者がブログで収益を得られるようになるまでをサポートしている。YouTube チャンネル「ヒトデせいやチャンネル」のチャンネル登録者数は 11 万人超え。Twitter（@hitodeblog）のフォロワー数は 11 万 1,000 人以上。

ブログ URL　https://hitodeblog.com
YouTube チャンネル
https://www.youtube.com/channel/UCQAJInmzlQGhDmjiSx8FH4Q

装丁・本文デザイン /DTP　Isshiki
装丁イラスト　スズキタカノリ
図版作成協力　ゴン、しましまいぬ

「ゆる副業」のはじめかた アフィリエイトブログ
スキマ時間で自分の「好き」をお金に変える!

2021 年 8 月 5 日　初版第 1 刷発行
2023 年 11 月 5 日　初版第 10 刷発行

著者　ヒトデ
発行人　佐々木 幹夫
発行所　株式会社 翔泳社（https://www.shoeisha.co.jp）
印刷　昭和情報プロセス 株式会社
製本　株式会社 国宝社

本書へのお問い合わせについては、223 ページに記載の内容をお読みください。

落丁・乱丁はお取り替えいたします。03-5362-3705 までご連絡ください。

ISBN 978-4-7981-6995-8　Printed in Japan